雑談力

相手の心をつかみ、楽しませるネタと技術

百田尚樹

PHP文庫

○本表紙図柄＝ロゼッタ・ストーン（大英博物館蔵）
○本表紙デザイン＋紋章＝上田晃郷

まえがき

「楽しい話で、場を盛り上げたい！」

「仕事相手や友人が喜ぶ話がしたい！」

「大勢の前で、面白い話を披露したい！」

口には出さなくても、心の中でそんなことを思っている人は多いと思います。

どんなグループにも必ず一人か二人、話の上手い人がいます。彼（彼女）はいつも皆が喜ぶ話をし、場の中心にいます。そして人気もあります。

テレビを見ても、いろんな番組に引っ張りだこのタレントは、例外なく話芸に優れた人です。彼らはプロですから話芸が達者なのは当たり前ですが、生まれながらの天才ではありません。スポーツと同様、話術も訓練で上達するものです。スポーツと違うのは、科学的なトレーニング方法というものがないことです。それに正しいフォームやスタイルもありません。話術の巧みな人は、皆、非常に個性的です。

まさにフリースタイルであることが大事なのです。

私は決して話が上手というわけではありません。マシンガントークと揶揄されることもある、無手勝流の滅茶苦茶な話し方です。でも、こんな私の話を聞きたいと言ってくださる方もいて、今でも年間に四〇回くらい講演をしています（かつては年間一〇〇回近くしていましたが、これでは執筆時間が取れないので、四〇回以下に減らしています）。

DHCテレビ「真相深入り！　虎ノ門ニュース」では、毎週二時間、生放送で喋っています。この番組は途中にCMが入るのは一度だけ、番組中にはVTRのコーナーもなく、正味二時間喋りっぱなしです。ラジオよりもはるかに過酷で、こんな番組は他にありません。

私は昔から喋ることが大好きで、子供の頃から、とにかく自分が感じた面白いこと、笑ったこと、感動したことを、人に伝えたいという気持ちが非常に強かったのです。私の早口はそのせいかもしれません。こんなこと言っていいのかどうかわかりませんが、**小説家でありながら、書くことよりも喋る方が一〇〇倍も好きです。**

ただサービス精神が強すぎるせいで、しばしば舌が回りすぎ、話の最中に余計な一言や失言や暴言が飛び出すことがよくあります。その場はたいてい爆笑ですが、講演や演説などでは後に大炎上したことが何度もありました。

ただ、この本を手に取ってくださった皆さんが、何百人もの聴衆を相手に話すということはあまりないと思います。皆さんが日常的に話す相手は、数人からせいぜい十数人だと思います。

実は話というものはそれくらいの人数を相手に話す時が一番楽しいのです。テレビやラジオは一方的な話であるばかりか、聞き手の反応さえ見えません。講演の場合は聞き手の反応をその場で感じることができますが、それでも一方通行なのは同じです。

でも一つのテーブルで、あるいは一つの部屋で、数人から十数人相手に話す時は、笑いや感動のリアクションは直接跳ね返ってくるし、ツッコミや質問もどんどんやってきます。話し手にとって（聞き手にとっても）、こんなに楽しいことはありません。座談の面白さはここにあります。

ただ座談の中心になるのは簡単なことではありません。自分の話で皆を引き付けるには、当然、皆の興味を惹（ひ）く話をする必要があります。世の中には、自分にはそんなことは無理だと諦めている人が意外に多いのです。そういう人は、何人か以上の場になると、「自分は聞き役」というポジションに立ってしまいます。でも、それはもったいない。よほど無口な人でない限り、人は誰でも楽しい話ができるのです。

　この本が生まれたきっかけはひょんなことでした。私の仕事場完成祝いにＰＨＰ研究所の編集者数人が来てくれて、数時間にわたって歓談しました。話の八割くらいが私の喋りでした。

　歓談の終わり頃、一人の編集者がいきなりこう言ったのです。

「百田さんの話はいつも滅茶苦茶面白いのですが、『面白い話をする秘訣』のようなものを本にしてくれませんか」

　最初、私は断りました。たしかに気の置けない仲間たちの間で楽しい話をするのは大好きですが、喋りのプロでもない私がそんな本を書けるわけがありません。

　すると別の編集者が言いました。

「百田さんの話はとにかく話題が豊富で多岐にわたっている。初めて聞く話も多いけど、知っている話でも、その中に毒とユーモアと皮肉があって、どんどん聞けてしまう。僕もその秘訣を知りたいです」

私はこう見えても極めてお世辞に弱いタイプです。というわけで、おだてられたブタが木登りに挑戦するように、百田式の「面白い話をする方法」のようなものを書いてみることになりました。

私が六十年生きてきて学んだ、私なりの「話し方のテクニック」「話題の選び方」「話をする際に気を付けること」などを書きました。皆さんが「座談」をする時に、何らかのお役に立てれば嬉しく思います。

なお、この本には私がよくする「話題」もふんだんに入っています。もしよければ、それらの話を皆さんのレパートリーに加えてください。

目次

雑談力

相手の心をつかみ、楽しませるネタと技術

第一章　人を引き付ける話をする技術

第二章　その気になれば、誰でも雑談上手になれる

第三章 こんな話に人は夢中になる

第四章 歴史雑学は多くの人の興味を惹く

第五章　親友とする真面目な話

第一章

人を引き付ける話をする技術

起承転結が基本

実は話すというのは、書くよりもはるかに難しい技術です。書くのにはある程度時間をかけられるし、あとで直すこともできます。ですが、喋るのはその場での一発勝負です。推敲(すいこう)はできません。

筋道のある長い話をする場合、初めから頭の中に構成ができていなければ無理です。あるいは話しながら構成を作っていく能力が必要です。**起承転結を考えて、なおかつ盛り上げにも留意して、最後のオチも決める——これを即興でやるのがトークです。**

ですから、昔から文芸の編集者の間では、「話の面白い作家は、書いても面白い」と言われているそうです。

もっとも私は話が下手な上に、失言と暴言がしょっちゅうですから、全然話になりません。「話にならない」という言葉は、ここからきているのでしょうか。私の場合はおまけに書く方ももう一つときていますから、情けない限りです。

まあ私のことはさておき、話すというのは、相当な技術であることがわかっていただけたでしょうか。

短いセンテンスでギャグを言うのには反射神経とセンスが必要ですが、人が注目して聞く話を五分以上するというのは、話術に加えて構成力が不可欠です。

構成力というのは、その話を一つの「物語」として組み立てる力です。

「起承転結」――これは小説や映画の基本ですが、話も同じです。まず導入があって（起）、次に物語が動き出し（承）、あっと驚く展開を見せ（転）、オチになります（結）。もっとも転と結はしばしば同時になることもあります。「面白い雑談」も基本的にはこの構成になっています。

では、どういうふうに導入部分をもってきて、どういうふうにそれを展開していくのか――このコツを伝えるのは簡単なことではありませんが、以下の節で、実例を出しながらお話ししていきましょう。

つかみが大事

私は三十年以上もテレビ番組の放送作家として生きてきました。そして「つかみ」の重要性を痛感してきました。「つかみ」というのはもともとは寄席(よせ)言葉です。芸人が舞台に出て一発目に放つネタのことです。これで客の気持ちを摑(つか)むと、あとが非常にやりやすい。逆に失敗すると、そのあとがずっと大変になるので、「つかみ」は非常に大事なのです。

テレビ業界の「つかみ」とは、番組冒頭のネタです。テレビを見ている人はいつもすぐ近くにリモコンを置いていて、「この番組、面白くないな」と思った瞬間、チャンネルを替えます。これをザッピングといいます。

テレビ番組の視聴率表というのは、放送翌日にテレビ局に配信されるのですが、分刻みの視聴率が折れ線グラフになって表れています。それを見ると、視聴者が凄い勢いでザッピングしているのがわかります。CMになれば一瞬にして視聴率が落ちます。CMが終わると、すぐに戻ってきます。深夜番組などで女性のオッパイなどが出ると、視聴率はぐんぐん上がっていきます。これは視聴者がしょっちゅうザッピングをしている証拠です。たまたまチャンネルを替えている男性が画面にオッパイが見えた途端に、ザッピングをやめて、その番組を見ているというわけです。

私たちは番組を作っていて、「ここは少し面白くないところかな」と思うところもあります。後日、放送後に視聴率を見ると、そのシーンで少しずつ折れ線グラフが下がっていくので、「ああ、やっぱりな」となります。

番組で一番大事なのは「つかみ」です。ここで視聴者の気持ちをぐっと摑むことに失敗すると、番組全体の視聴率もあまり高い数字は望めません。

最初の一ページで物語を動かす

私はテレビ業界に長くいたので、小説を書く場合にも、「つかみ」に凄く気を付けます。極端な話、最初の一ページから面白いシーンがないと気に入らないのです。ただ、読者には主人公がどんなキャラクターかもわからないし、ここがどこなのか、今がいつなのかもわからない状況で、いきなり面白いシーンというのは難しいものがあります。

その制約があっても、私は最初の一ページで物語を動かします。最初の出来事が起こるまで、二ページも三ページも費やすのは耐えられないのです。私の作品は、『永遠の0』も『海賊とよばれた男』も『影法師』も『風の中のマリア』（以上、講談社文庫）も、『フォルトゥナの瞳』も『カエルの楽園』（以上、新潮文庫）も『モンスター』も『夢を売る男』（以上、幻冬舎文庫）も、すべて最初の一ページから物語が動きます。私が意図的に冒頭をスローモーに作ったのは、『プリズム』（幻冬舎文庫）だけです。

他人の小説を読んでいて、数ページも読み進んで、何も物語が進展しないことがよくあります。もうそれだけでうんざりして読み進める気はしません。これは私の持論ですが、「つかみ」に無神経な作家に、面白い小説が書けるわけがない、と思っています。おっとまた私の放言が出ました。まったく余計な一言です。ご放念ください。

ただ、ベストセラー作家と言われている人の小説は、たいてい最初の一ページから物語が動き始めます。そう考えると、やはり「つかみの能力」イコール「物語を作る能力」かなという気もします。もっとも、私は両方の能力がないので苦労しています。

「バーバリライオン」の話のつかみをどうするか

ずいぶん前置きが長くなってしまいましたが、これは「話」にも通じることです。とはいえ雑談は落語の大ネタではないので、枕に凝る必要はありません。大切なのは話のきっかけです。最初の一言で、周囲の人に「お、その話を聞いてみたいな」と思わせることができるかどうかです。

たとえば次に述べるバーバリライオンの話をするとして、そのつかみをどうするかを考えてみましょう。

かつて北アフリカにはバーバリライオンというとてつもなく大きなライオンがいました。別名アトラスライオンとも呼ばれるほどでした（アトラスはギリシャ神話の巨人の神）。最大は全長四メートル以上あったといいます。一般的なライオンが三メートル前後、最大でも三メートル五〇センチくらいですから、桁外れの大きさです。体重も一般的なライオンの二〇〇キログラム前後に対して、三〇〇キログラム以上あったといいます。ところがこのバーバリライオンはローマ時代に見世物として大量に狩られます。記録によれば、カエサルは四〇〇頭、ポンペイウスは六〇〇頭も、戦勝パレード用にローマに連れ帰ったとあります。また後にはコロセウムで人間と戦わせるために大量に捕獲されました。

その後も文明が発達するにつれてバーバリライオンの生息地は減少し、さらに近代には狩猟娯楽としてハンティングされ、個体数は激減しました。そしてついに一八九一年にアルジェリアとチュニジアからは姿を消し、一九二二年にモロッコで最後の一頭が射殺され、絶滅しました。最大のライオン（トラよりも大きい）が地球上から消え去った瞬間です。

ところが、それから九十年後の二〇一二年、モロッコで大量のバーバリライオンが発見されたのです。その場所はモロッコ国王ムハンマド五世の私設動物園でした。モロッコでは昔から国内の部族たちが王へ忠誠の証(あか)しとしてバーバリライオンを献上していて、王はそれを自分の動物園で飼育していたのです。調査の結果、これらは純血種のバーバリライオンであることが判明し、ここにバーバリライオンは絶滅種のリストから外されました。絶滅が確定されてから五十年以上経って再発見された動物は稀(まれ)にいますが、個人が飼育していたケースはこれ以外にありません。

バーバリライオン（写真提供：ユニフォトプレス）

しかもそれが伝説のバーバリライオンだったので衝撃的な事件でした。

さて、この話を友人たちにするとして、どのように話し始めたらいいでしょうか？

「二十世紀の初めに絶滅が確定してから百年近く経って、再発見された凄く大きな動物がいるのを知ってる？」

というストレートな話から入ってもいいし、

「ローマ時代にコロセウムで人間と戦ったライオンは、僕らが知っているライオンとはまったく違うライオンだったんだよ」

という話から入ってもかまいません。どちらも、聞き手の興味を惹くはずです。

私はこの話を友人たちに何度かしていますが、**「トラとライオンが戦ったら、どちらが強いかと昔から言われているが――」という話から入ることがよくあります。**

「最近、大阪の天王寺動物園に行った際、アムールトラとライオンを見たんやけど、見た瞬間にトラの勝ち、とわかった。こんなの実際に戦うまでもない。もう体の大きさが全然違う。柔道の重量級と中量級が戦うようなものや。ライオンは百獣の王と言われているが本当はたいしたことはない」

そう言うと、皆、へーという顔をします。そこで、こう続けます。

「なんでライオンが百獣の王なんて言われてたのか不思議やなあと思って調べてみたら、ローマ時代にバーバリライオンという化け物みたいな巨大ライオンがいたというのがわかった。今のライオンより一メートルも大きくて、トラよりも大きかったらしい。写真があって、それを見ても、今のライオンとまったく違う。あれを見たら、百獣の王というのも納得する」

ここまで喋ると、聞き手はもう興味津々です。あとはバーバリライオンが絶滅した話でショックを与えて、その再発見でさらに驚かせばいいのです。

他にも、もっと聞き手の興味を誘う「つかみ」はいくらでもあると思います。大事なことは、聞き手に「その話を聞きたいな」と思わせることです。

ちなみにローマ時代の格闘士とライオンの対決ですが、驚くことに人間の勝率の方が高かったということです。

質問から入る

人の興味を惹く方法の一つに、質問から入るという方法があります。

人間というものは何かを訊かれると、それに答えようとする性質があります。そしてその答えがわからなければ、知りたいという興味が湧きます。

ただし、普段全然関心のないものや、身近でないものはダメです。いつもは何気なく使っている言葉や、知っていると思っていることが、実は全然知らないものであったということに、小さなショックを受け、同時に関心が一気に高まるのです。

たとえば「惑星」という言葉は誰でも知っています。普通に使う言葉です。

天文の話題になった時、「ところで、惑星って、どうして惑星って名前が付けられているのか知ってる?」と訊かれれば、たいていの人が、「あれ?」と思います。惑星の「惑」という字は「惑う」という意味です。これは「迷う」とか「ふらふらする」という意味です。なぜ、そんなおかしな字を使っているのでしょう。

古代の天文学は天動説です。これは地球を中心に宇宙が回転しているという考え方です。これによれば、太陽も月も一日に一回、地球の周りを回ります。

そして宇宙空間の多くの星も、一日に一回転します。もちろん季節ごとに軌道はゆっくりずれていきます（実際に冬の星座と夏の星座が違うのは、地球が公転しているからです）。

ところが星の中にはそういう正確な回転をしないで、不思議な動きをするものがあります。それは金星であり、火星であり、水星です。これらの星は地球の周囲を円運動しません。なぜなら、水星も金星も地球と同じ惑星で、太陽の周囲を公転している星だからです。

つまり地球を中心にして、これらの星を観察すると、見かけの動きは地球の周囲を回転するという動きにならないのです。それらの星は前に進んだかと思うと、後ろへ行ったり、また右や左にふれたりもします。

それで古代の人たちは、これらの星を「惑う星」と考えたのです。つまり惑星という名前は天動説の名残なのです。天動説が否定されて何百年も経つのに、今もその概念の言葉が使われているというのは考えてみれば奇妙なことです。

また、日常使う言葉に、「試金石」という言葉があります。これはある人や団体が本当に価値があるのか、それともニセモノなのか、という試験的な意味合いの場合に使われる言葉です。スポーツの前哨戦などにも使われます。

ところが、「試金石って、もともとどういうものなのか知ってる？」と訊かれれば、多くの人はまず答えられません。はたしてそんなものが存在したのかどうかも知らない人が多いのではないでしょうか。

これは金がどこまで純度が高いかを調べる石のことなのです。かつては実際に使われていました。

金は二十四金が一〇〇パーセントの純金で、そこに銀を加えることによって、純度が落ちていきます。十八金とか十二金といわれるものです。

ところがこれはなかなか見た目ではわかりません。今なら正確に純度を調べる機械もありますが、昔はそういうわけにはいきません。かなり大きな塊なら、比重を調べて判定する方法もあります。

ちなみにこの比重を調べて判定する方法を編み出したのは、アルキメデスと言われています。彼は王様に、王冠が純金かどうかを調べてくれと言われ、同じ重さの物体を容器いっぱいに水を入れた中に沈めれば、比重の重いものほどあふれた水の量が少ないことに気付き、それで王冠の金の比重を調べて、純金でないことを証明したという話が残っています。

話が逸れましたが、試金石はもっと単純なものです。

この石は黒曜石でできています。そしてそこには二十四金や十八金の金で引いた線が書いてあります。これは金を石にこすりつけてできた線です。この線を比較すると、輝きが微妙に違うのです。

それで、ある金がはたしてどれくらいの混ぜ物であるかを調べるのに、この試金石に金をこすりつけて線をつけ、試金石の線と比較して、同じ輝きを持つ線を見るのです。

もちろん、今はこんなやり方をする人は誰もいません。ですから世の中には「試金石」などというものもなくなりました。でも、面白いことにその名前だけは今も残っているのです。

人は「あれ？　なんだろう」と思うと、それを「知りたい」、あるいは「自らを納得させたい」というモチベーションが生じます。あなたが誰かに話をする時、相手にそういう気持ちを起こさせれば、もうこっちのものです。相手はあなたの話を興味津々に聞くことでしょう。

その意味で、さりげない質問から入るというのも、話をするテクニックの一つです。

常識を揺さぶるような話から入る

前の項で質問から入るという話をしましたが、意外な導入から入るという手もあります。

人は自分の思っている常識を揺さぶられると動揺します。すると、その動揺を抑えるために、納得のいく説明を聞きたいと思うものです。そうなると、話が非常にしやすい環境が整います。

たとえば、「人工衛星というのは、実は永久に落ち続けている」と言えば、人は誰でも「えっ」と思うでしょう。人工衛星は地球の周囲を永久に回っていて、落ちるとか落ちないとかそういう種類のものではないと思っているからです。

ここで少し違う話をしましょう。私たちが地面に水平にボールを投げると、そのボールはやがて勢いを失って地面に落下します。これは当たり前ですね。地球には引力がありますから、空気よりも重いものはすべて落下します。ゆっくり投げると近くに落ち、速く投げると遠くに落ちます。

では、そのボールをできるだけ速く投げるとどうでしょう。ボールは相当な距離を進むでしょうが、それでもやがて地球の引力に引っ張られて落ちますね。

ところが面白いことに地球は完全な水平ではありません。ご存知のように球面です。つまり、もの凄く速い勢いで飛んでいるボールが徐々に落ちていった時、地面もカーブしているので、なかなか地面に落下しないのです。屁理屈を言って誤魔化しているように聞こえますか。でも、理論的にはそうなのです。

もう少し詳しくいうと、ボールを秒速七・九キロメートル（時速二万八四四〇キロメートル）で投げたとします。するとボールは一秒間に七・九キロメートル進みますが、その間に約五メートル落下します。ところが地球は丸いので、投げた地点よりも五メートルほど下がっているのです。つまりボールは地面に落ちたくても落ちられないのです。

もっとも地表近くでボールを投げると、空気の抵抗がありますから、やがては地面に落下します。でも空気抵抗のないはるか上空でボールを投げればどうでしょう。

これを実際にやっているのが人工衛星です。人工衛星は実は凄いスピードで飛んでいますが、ゆっくりと地球に向かって落ちているのです。ところが人工衛星が落ちていくカーブが地球の球面のカーブと一緒なので、どれだけ落ちても、地球には落下しないのです。もちろんこれは偶然ではありません。どれくらいのスピードで軌道に乗せれば、そのようになるかを計算して、人工衛星を打ち上げています。それ以下の速度なら地上に落下するし、ある速度以上なら地球を離れて飛んでいってしまいます。

ここまで話すと、勘のいい聞き手は、「じゃあ、もしかして月も」と言います。

そうなのです。月も地球の周囲を凄いスピードで飛んでいますが、実は地球に向かって落ち続けているのです。ところが月の落下するカーブが地球の球面のカーブと並行しているので、いくら落ちても地球にぶつからないのです。これは実は絶妙なバランスなのです。もし月のスピードがもっと速ければ、月は落ちないで、地球を離れてしまいます。逆にもう少し遅ければ、落下のカーブがきつくなって地球に激突します。

もっと規模を大きく考えると、地球も太陽の周囲を飛びながら、太陽に向かって落ちているのです。考えてみれば、これは奇跡のようなものです。太陽系ができて以来、その中にある多くの星は太陽に落下したか、あるいは太陽系を離れて飛んでいったかしたと思います。今、地球も含めて残っている惑星は、たまたま太陽系からも出られず、また太陽にも落っこちず、永久に太陽の周囲を回っている稀有(けう)な星です。

もっとも惑星の多くは楕円(だえん)軌道ですが、なぜ楕円軌道なのかは、私の知識では答えられません。興味のある方はそれぞれでお調べください。

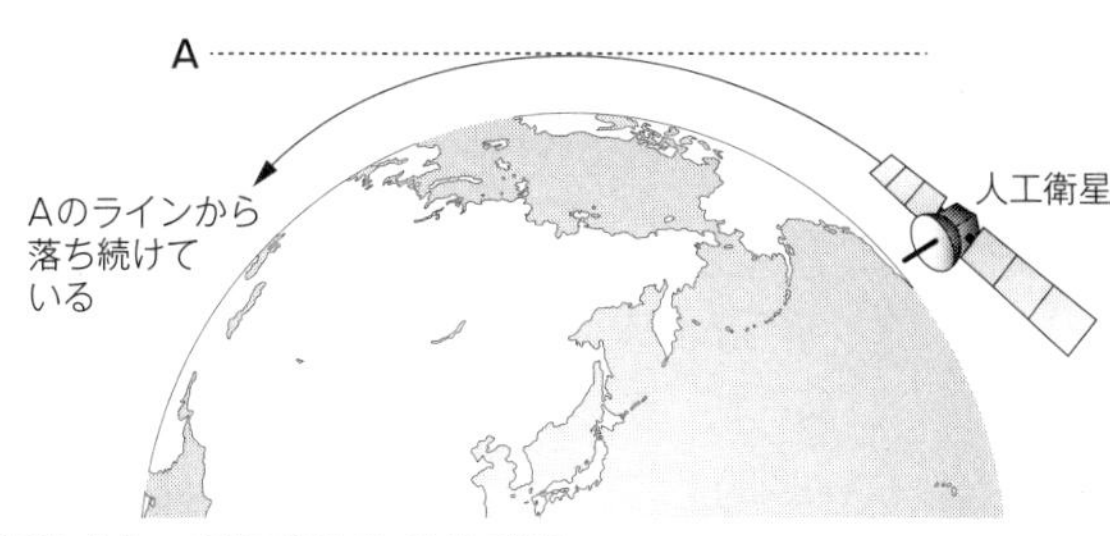

地球に向かって落ち続けている人工衛星

もう一つ例を出してみましょう。

「地球上には、自然界で生きていけない動物が一種類だけいるんです」と言われれば、人は「えっ」と思います。

誰だってそんな動物がいるわけないと考えます。でもその動物は存在するのです。それはカイコです（正式名称は「カイコガ」）。

カイコは人類が約五千年前から飼い始めたと言われています。家畜化された昆虫で、野生には存在しません。カイコは野生で生きる力（野生回帰能力）を完全に失ってしまった唯一の家畜です。

カイコの幼虫は桑の葉を食べて大きくなりますが、足の力が弱いので、仮にカイコを野外の桑の木に止まらせても、葉っぱにつかまっていることができません。そのために一日で葉から落下して死んでしまうのです。成虫になっても、翅(はね)の筋肉は退化していて、羽ばたくことはできても飛べません。つまり人間の飼育環境下以外では、まったく生きることも繁殖することもできない動物なのです。

でも人間が飼育する以前は、カイコは自力で生きて、繁殖していたはずです。ところが今に至るも自然界でカイコのルーツは見つかっていません。クワコという昆虫がそうではないかという説もあるようですが、生態も性質もまったく異なるので、否定的な意見が多いようです。おそらくカイコのルーツとなった昆虫は絶滅してしまったと考えられています。

それにしても、カイコは怠け者というか、いい加減というか、人間に飼われているうちに、生きていく能力をすべて捨ててしまったのです。これは呆れるばかりです。

エサは人間が与えてくれるから、幼虫は歩く能力も葉っぱにつかまる能力も捨ててしまい、また人間が雄雌同士を出会わせてくれるから、成虫になっても飛ぶ能力を捨ててしまい、挙句に成虫はものを食べることができません。つまり人間に飼育されることによって不要となった器官を、カイコは惜しげもなく放棄していったのです。そしてついに自然の中で生きる能力をすべて失ってしまったというわけです。

進化論の世界では、「ラマルクの用不用説」（よく使用される器官は世代を経るごとに発達し、使われない器官はだんだん小さくなりやがては退化するという説）は否定されていますが、カイコを見ると、「用不用説」は正しいのかと思えてきます。

それはさておき、カイコを見ていると、なんとなく教訓めいたものを感じます。ぬるま湯のような生活を長く送っていると、生存能力やたくましさといったものがどんどんなくなっていくということです。

日本は戦後、高度経済成長を遂げて、世界でもトップクラスの豊かな国になりました。でも、若い人はどんどん弱くなっているような気がします。上司にちょっと怒られただけで会社に行けなくなったり、人間関係で鬱になったりする人が多く、学校でも登校拒否児童が増えています。もちろんそれにはいろいろな原因があるのでしょうが、私にはカイコが弱くなったのと似ているような気がしてなりません。

少々話が脱線してしまいましたね。もとに戻しましょう。

冒頭にも書いたように、人の常識を揺さぶるような話から入るというのも、一つの手です。人に「えっ」と思わせることができれば、導入はほぼ成功なのです。あとはその興味を逸らさないように話を展開していけば、その場は大いに盛り上がるでしょう。

単純な蘊蓄ほどつまらないものはない

「雑談」とか「面白い話」というと、読者の中には「ああ。イクラって実はロシア語だった、みたいな話か」と思われる方もいらっしゃるかもしれません。でも、そんな蘊蓄(うんちく)ほどつまらないものはありません。

「AはBだった」みたいな蘊蓄は、聞いた時は、ふーんと思いますが、話はそれ以上に広がらないし、しばらくすると忘れてしまいます。

その手の蘊蓄が詰まった本は沢山ありますが、面白い雑談に使えるテキストにはなりません。

人に聞かせる話をしようと思えば、一言で片付いてしまう蘊蓄の情報をいくら仕入れても無意味なのです。そこにいろいろとエピソードを加えて膨らませてこそ、聞いて楽しめる話になります。

たとえば浮世絵師で知られる葛飾北斎(かつしかほくさい)が生涯に九三回引っ越しをしたみたいな話は、「凄いね。よっぽど引っ越しが好きだったんだね」で終わってしまいます。

でも一日に三回引っ越した日もあると聞くと、少し興味が湧きます。北斎は八十八歳まで生きますが（数え年では九十歳卒寿を迎えています）、人生の最後の十五年間で三七回も引っ越しています。こうなると北斎にとって家はもうホテル感覚です。当時の人名録にも北斎は「居所不定」となっています。

なぜそんなに引っ越しを繰り返したのかということですが、これがもう呆れるような理由です。というのは、北斎の頭の中には絵を描くことしかなく、部屋の掃除などは一切せず、それで部屋が荒れたり汚くなると引っ越しをするのです。豪快というか適当というか、北斎にとっては部屋の掃除よりも引っ越しの方が楽だったのでしょうね。

ちなみに北斎は料理は一切せず、出前を取ったり、自分で買ってきたもので済ませました。家には食器はなく、買ってきた箱や包みからそのまま食べ、ごみはそのまま放置です。現代でいうなら、コンビニで買ってきた弁当を食べて容器はそのままというスタイルでしょう。

引っ越しで笑えるエピソードとしては、最後の九三回目の引っ越しです。新しく引っ越した先の家は、昔、北斎自身が暮らしていた家だったのですが、なんと自分が出ていった荒れ放題の状態のままだったのです。北斎自身もそれを見て何かを悟ったのか、それが最後の引っ越しになったそうです。

もっとも当時の江戸の庶民は割に簡単に引っ越しをしていて、平均すると三〇回くらい引っ越していたという説もあり、それを考えると、当時の平均寿命の倍以上生きた北斎の引っ越し回数はそれほど驚くことでもないのかもしれません。ちなみに私は五年間の大学生活で三回下宿を変わっています。

ただ、北斎の引っ越しエピソードをいくつ重ねても、やはりそれだけで終わってしまいます。

北斎の驚くべきは、その斬新さにあります。「富嶽三十六景」はまさに天才的な傑作画集ですが、荒れ狂う波の一瞬を捉えた「神奈川沖浪裏」や、富士を赤く塗った「凱風快晴」など、当時の画家の誰も思いもつかなかったものです。風景、人物、鳥獣、植物、さらには想像上の動物や化け物など、あらゆるものを描き、物語

神奈川沖浪裏（写真：Bridgeman Images／時事通信フォト）

や絵本の挿絵なども描いています。その数、現存するだけで三万点以上です。一口に三万点といいますが、これを六十年間で書こうと思えば、一年平均五〇〇点です。凄まじい創作力です。ちなみに「富嶽三十六景」は最初三六枚でしたが、大ヒットしたので一〇枚書き足し、全部で四六枚になりました。

版画だけでなく、肉筆画も多く、変わったところでは長野県上高井郡小布施町の岩松院（がんしょういん）の本堂に二一畳（六・三メートル×五・五メートル）の天井絵「八方睨み鳳凰図」があります。八十九歳の作品というから驚くばかりです。

またゴッホにも大きな影響を与え、ヨ

八方睨み鳳凰図（写真提供：岩松院）

ーロッパの印象派の画家だけでなく、工芸家にも大いに影響を与えたと言われています。一九九九年には、アメリカの『ライフ』誌の企画「この一〇〇〇年で最も重要な功績を残した世界の人物一〇〇人」に、日本人としてただ一人ランクインしました。いかに北斎が世界で評価されているかの証拠です。

でも、私が北斎で一番好きなエピソードは、シーボルト事件で有名なオランダの医師シーボルトが北斎に二巻の絵を依頼した話です。契約は一五〇金でしたが、北斎が絵を仕上げて納めに行くと、「七五金にしてくれ」と言われます。北斎は「最初に七五金と言えば、彩色を変えて仕上げることができた」と怒ります。シーボルトは「それなら一巻だけ買う」と言いますが、北斎は「売らない」と言って持ち帰ります。

当時の北斎は金がなく、苦しい生活をしていました。当時一緒に住んでいた妻は、「この絵は他では売れない。半値でも売らなければ、また貧乏が続く」と非難します。でも北斎はこう言いました。

「貧乏するのはわかっている。自分も金が欲しい。しかしもし半値で売れば、外国人に、日本人は人を見て値段を変えると思われる」

まさに北斎こそ芸術家の誇りを持つ男であり、同時に日本人としての矜持(きょうじ)を持つ男でした。ちなみにこれを伝え聞いた長崎商館長は、一五〇金を払って、北斎の絵を買い受けました。こののち、長崎からは北斎に絵の注文が何枚もあり、それらはオランダに輸出されました。

どうですか、「引っ越し九三回」、「『富嶽三十六景』の絵師」というだけでは見えてこない北斎の姿が浮かんできませんか。

情報というものは、白黒の線だけで描いた絵のようなものです。そこに色を付けて背景を書き加えると、絵が動き出すのです。この節の場合、その色にあたるものが北斎の人間性だともいえます。「意外な事実」ではなく、魅力的な人間性が生み出すストーリーに、人々は惹かれるのです。

数字は重要

シャチの体重は一〇トン

他人に面白い話をする時に大事なことは、数字をあやふやにしないことです。数字というものは一見無味乾燥なものに見えますが、実はそうではありません。**具体的な数字があることによって、話のリアリティが格段に増すし、話の面白さがぐっと伝わりやすくなるのです。**

たとえばあなたがシャチの話をしたとしましょう。シャチは自然界には（人間以外には）天敵がいません。海の中では無敵の王者です。巨大なクジラでさえも食べてしまいます。シャチの学名は「冥界（めいかい）からの魔物」です。なんとも恐ろしい名前です。漢字では「鯱」と書きます。「海の虎」とは、昔の人はうまい字をあてたものです。

昔、『ジョーズ』という映画が大ヒットしました。これは巨大なホオジロザメが主役のパニック映画です。この映画の大ヒットにより、ホオジロザメというのは海の中で最も恐ろしい生き物だと思われました（可哀想に、そのために世界中でホオジロザメが狩られ、現在は絶滅危惧種に指定されています）。

たしかにホオジロザメは殺戮（さつりく）マシーンとも呼びたくなるような凄さを持っています。海中にわずかでも血の匂いがあればそれを嗅ぎわけ、鋭い歯は生涯生え替わり、獲物を襲う時は自らの目を傷つけないように眼球が裏返ります。毎年、多くの人間がホオジロザメによって命を失っています。

ところがこの海のギャングともいうべきホオジロザメもシャチにはまるで歯が立たないのです。シャチの体当たりの一撃でホオジロザメは即死状態になるといいますから、まるで大人と子供です。でも、これだけの話ではシャチの凄さがまだ十分に伝わりません。そこで重要なのは数字です。

ホオジロザメの大きさは平均的なもので体長四・〇～四・八メートル、体重六八〇～一一〇〇キログラムです。過去の記録では体長七メートル。体重二五〇〇キロというのもあります。

それに対してシャチは最大級のオスで体長九・八メートル、体重はなんと一〇トン(一万キログラム)です。平均的なホオジロザメの約一〇倍の重さです。これは大人と子供どころの話ではありません。体重七〇キロの大人に、体重七キロの乳児が挑むようなものですから、勝負になりません。

またシャチはこれほど大きいのに動きも速いのです。最高速度は、ホオジロザメが時速約三〇キロメートルで泳ぐのに対して、シャチはなんと時速七〇キロメートルで泳ぎます。その上、魚類のホオジロザメに対して哺乳類のシャチは頭脳でも圧倒しています。

どうですか、具体的な数字を出すことによって、凄くイメージがしやすくなるでしょう。もし、この話をする時、具体的な数字がなければ、シャチとホオジロザメ

シャチ（写真：ユニフォトプレス）

の対決図はまったく想像できないでしょう。

ちなみに一〇トンという重さも、多くの人はイメージできないと思います。地上最大のアフリカゾウのオスが約一〇トンくらいです。ヒグマが五〇〇キログラムくらいです。軽自動車が八〇〇キログラム前後、普通乗用車は一〇〇〇〜一五〇〇キログラムくらいが平均的でしょうか。ベンツＳクラスの一番ごついのが二二〇〇キログラムくらいです。

もう一つホオジロザメの弱点をいうと、サメは軟骨魚類で骨が柔らかいのです。その上、内臓を守る肋骨（ろっこつ）がありません。ですからシャチの体当たりを食らえば、一撃で内臓が破裂するというわけです。

軟骨魚類はエラが十分に進化していません。硬骨魚類はエラを動かしてそこから水を取り入れて呼吸をすることができますが、軟骨魚類の多くはエラが動きません。ほとんどのサメは口から水を取り入れてエラに送り込んで呼吸をします。そのために口を開けて泳がなくてはならないのです。したがって多くのサメは泳がないと呼吸困難になって死んでしまいます。つまり一生泳ぎ続けなければならないというわけです。なかなか厳しい人生（鮫生？）です。

話が少し脱線しましたが、シャチの凄さを話そうと思えば、正確な数字は不可欠です。この数字をあやふやにしては、伝えたい話の半分も伝わらないでしょう。これはいろんな話に共通することです。図鑑や資料で見る数字は無味乾燥なものに見えますが、そこには客観的な真実があるのです。

万里の長城は本当に二万キロもあるのか？

もっとも公式な数字だからといって、無条件に信じるのも危険です。たとえば世界七不思議の一つである「万里の長城」について話をしましょう。

以前は東端から西端まで約八八五一キロメートルということでしたが、中国国家文物局が、二〇一二年に、総延長距離は二万一一九六・一八キロメートルであると発表しました。

一挙に倍以上増えたのも変ですが、二万一一九六キロメートルという数字は普通に考えてもおかしいとしか思えません。というのは、地球の円周は約四〇〇〇〇キロメートルですから、万里の長城は地球の円周の半分以上の長さがあるということになります。

中国は昔から「白髪三千丈」（白い髪が伸びて約九キロの長さになったという譬え）という言葉があるほど、何でもやたらと大袈裟に言う国ですが、いくらなんでも二万キロメートルはないでしょう。いったいどういう計算をすれば、こんな数字になるのでしょうか。もっとも「白髪三千丈」の譬えも、人間の髪の毛を一〇万本と考え、白髪一本一五センチ×一〇万とすれば、総延長一五キロメートルになり、三千丈（約九キロメートル）の譬えもおかしくないという論法があるそうですが、もしかしたら万里の長城も中国独特の計算方法があるのかもしれません。

私の勝手な想像では、万里の長城はせいぜい三〇〇〇キロメートルくらいではないかという気がしますが、これでもとんでもない距離であるのはたしかです。北海道の最北端の稚内市から九州最南端の鹿児島県の佐多岬まで直線距離で約一九〇〇キロですから、その凄さがわかります。ちなみに一九〇〇キロは直線距離ですから、ほとんど海の上です。稚内から鹿児島まで車で行くとすれば、途中、フェリーを使って最短で約二七〇〇キロくらいだそうです。

まあ、実際のところはどれくらいあるのかわからない万里の長城ですが、現在はそれがどんどん消えていっているということです。というのは、長城の近隣住民が家を建てるのに長城を壊して、そのレンガを使っているからです。また文字が刻まれた石やレンガは高く売れるということで、観光客に土産物として売っているそうです。そのため万里の長城は近年になって三割ほどが消えたといわれています。私の見るところ、今世紀中に万里

万里の長城（写真：AA／時事通信フォト）

の長城は消滅するのではないかと思っています。

　ところで以前は「万里の長城は、宇宙から肉眼で見える唯一の建造物」といわれていました。これは中国の教科書にも載っていました。でも、二〇〇三年に中国初の有人宇宙船「神舟五号」に搭乗した宇宙飛行士が「万里の長城は見えなかった」と発言したため、中国の教科書からは削除されました。

　たしかにいくら長くても幅はせいぜい一〇メートルほどですから、万里の長城が見えるくらいなら、東名高速道路や新幹線の線路も見えるでしょう。ちょっと考えれば当たり前のことですが、実際に「見えなかった」と発言するまで教科書に載っていたというのは、間の抜けた話です。


　ともかく、正確な数字を挙げて見てみると、具体的にイメージしやすいということがあります。特にスケールの大きな話をする時は、できるだけ数字を正確に言うようにしましょう。話のリアリティがまるで違ってきます。

面白い話にはストーリーがある

いかに興味深い話でも、それが単なる箇条書き的な知識だと、聞いていていても面白くも何ともありません。

前にも言いましたが、人は、物語になっている話を聞きたいのです。ストーリーがない話は、そのこと自体によほどの関心がない限り、聞いていて、しんどいのです。

教科書がつまらないのは、そこには物語がないからです。

たとえば、ロゼッタストーンというものがあります。これはナポレオン軍がエジプト遠征の時に発見した石碑です。石碑には古代エジプトのヒエログリフ（象形文字）、古代エジプトのデモティック（草書体）、ギリシア文字の三つで同じ内容の文章が記されていました。これを解読したのはフランス人のジャン＝フランソワ・シャンポリオンです。

歴史の教科書にはそういうことが書かれていますが、そういう話はほとんど頭に残りません。

ですが、このロゼッタストーンの解読にはイギリスとフランスの凄まじい争いがあったと聞けば、少しは興味が湧くのではないでしょうか。

長い間、エジプトのヒエログリフは解読不可能な文字とされていました。ところがロゼッタストーンには三種類の文字で同じ文章が刻まれていて、そこに解読の大きな鍵があると見られたのです。つまりロゼッタストーンの発見は世紀の発見だったのです。

後にエジプトのナポレオン軍はイギリス軍に攻められますが、ナポレオンは現地の将軍に「ロゼッタストーンは何としても死守せよ」と命じます。ところがフランス軍はこれをイギリス軍に奪われてしまいました。現在、ロゼッタストーンは大英博物館にあります。

ここからフランスとイギリスの双方の威信をかけた解読競争に入ります（フランスも写しは取っていました）。ところが最初は簡単に解読できると思われていたヒエログリフは調べれば調べるほど謎に満ちていました。多くの言語学者がその壁を乗り越えることができなかったのです。

それを解いたのが前述のシャンポリオンです。彼はヒエログリフが表音文字と表意文字の二種類でできていることを見つけ、一気に解読にこぎつけたのです。彼は十六歳の時にすでに一二の言語に精通していた語学の天才でした。彼がロゼッタストーンの解読に成功したのは、漢字を知っていたからだとも言われています。漢字にはアルファベットにはない表意文字があったからです。

またヒエログリフには発音しない文字がありました。英語には基本的にそういうものがなく、それがイギリス人学者を悩ませたとされています。ところがフランス語には発音しない文字があり、それもシャンポリオンには有利に働きました。

シャンポリオンがロゼッタストーンの解読を試みたのは十代後半、兄の勧めによるものでした。それから十年以上ひたすら解読に取り組み、三十二歳の時、ついに解読に成功します。この時、彼は家を飛び出して兄の勧め先まで走り、「わかった！」と一言叫んで気絶しました。そしてなんと五日間も昏睡(こんすい)状態に陥ったのです。もしかしたら解読まで何日も眠っていなかったのかもしれません。

シャンポリオンによって、ヒエログリフの解読は一気に進み、その後、古代エジプトの遺跡から見つかるヒエログリフはほとんど解読され、多くの歴史の謎が解き明かされました。今日、シャンポリオンは「古代エジプト学の父」と呼ばれています。

ちなみにシャンポリオンの母は字が読めなかったといいます。

ロゼッタストーン（写真提供：ユニフォトプレス）

どうでしょう。ロゼッタストーンの解読なんて何の関心もなくても、こうしてストーリーで語られると興味が湧きませんか。実はヒエログリフというのはとても面白い文字で、これについても語りたいのですが、さすがに専門的すぎるので、ここでは措きます。興味のある人は調べてみてください。

私たちが歴史などで習う多くは無味乾燥な知識です。いかに重要な知識であっても、そこにストーリーがなければ、何の興味も湧きません。でも逆にいえば、そこにストーリーを付け加えるだけで、一気に「面白い話」に変わることもあるのです。

数学でさえ、面白い話になる

微積分はいかにして生まれたか

多くの人に「数学」くらい嫌われている「教科」はないのではないでしょうか。この本の読者の中にも、高校時代、数学に散々苦しめられた人は少なくないと思います。

英語は社会に出ても使う機会があります。歴史や地理もそれなりに日常的なものですし、物理や化学も、生活に無縁というわけではありません。でも高校で習う数学のほとんどは、三角関数にしても数列にしても虚数にしても、普通の人は日常生活で使うことは一生ありません。

たとえば「微分・積分」なんて何のために学ぶのだ、これがいったい何の役に立つのだ、と思った人も少なくないと思います。数学の授業ではそういうことは教えてくれません。ただ、公式と問題の解き方を教えてくれるだけです。

しかし微積分というのは本当はとてもロマンチックな数学なのです。これを考えたのは天才物理学者のニュートンです。リンゴが落ちるのを見て万有引力を発見したといわれる人ですね。

彼は古典物理学を究めた大天才ですが、天文学にも通じていました。そして「惑星の楕円軌道が、単位時間に掃く面積（太陽と惑星を結んだ線が一定時間に通過する面積）」は常に一定であるというケプラーの仮説を証明しようとしました。そのためには、楕円が掃く面積を求めなければなりません。

円の面積ですと「半径×半径×円周率」です。一八〇度分だと、面積はその半分、九〇度分だと四分の一になります。ところが相手は楕円です。単純な計算では求められません。そこでニュートンは、曲面の面積を求める方法として、まったく新しい考え方を創案しました。

図①

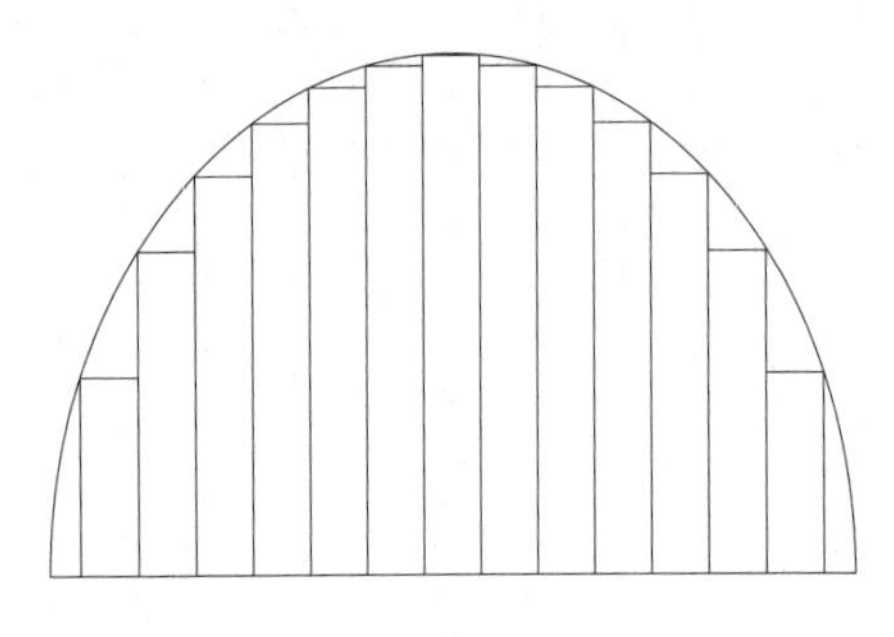

ここではわかりやすくするために敢(あ)えて乱暴な書き方をします。図①の中にある沢山の長方形の面積をすべて足せば、曲面の面積に近いものが求められます。ただし誤差があります。では、長方形の幅を少し狭めてみればどうでしょう。

図②のようにすると、図①よりも誤差は少なくなります。

もっともこの考え方は大昔からありました。ただ、長方形の数が増えれば増えるほど計算が大変になり、その数が一〇〇〇を超えれば何百時間かかるかわかりません。それでもまだ正確な値は出ません。

そこでニュートンは、無限という概念を使いました。これは別の考え方をすれば、長方形の数を無限大にするということでもあります。理論的にはこれで曲

図②

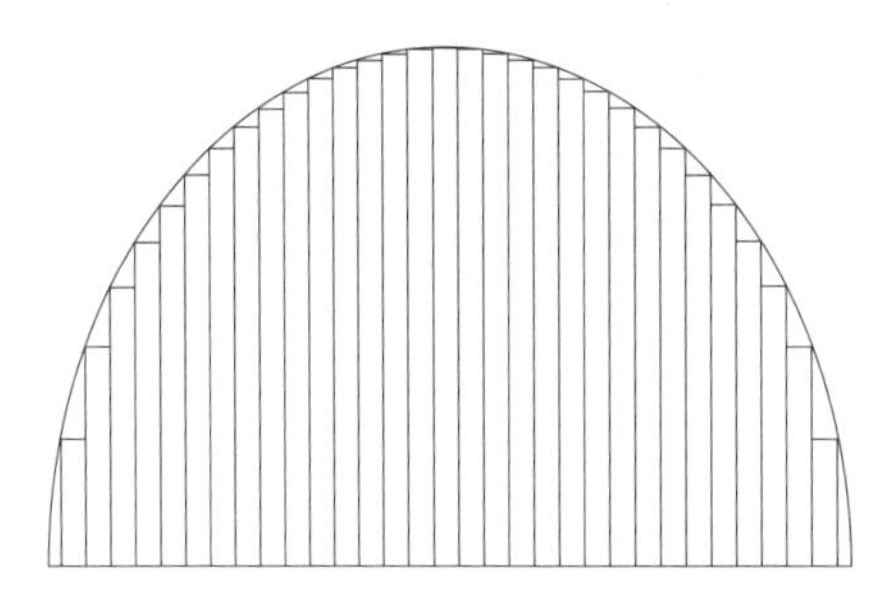

面の面積は求めることができますが、さて問題は、その方法をどうやるかです。

——と、こういう前フリがあれば、ニュートンはどういう公式を生み出したのだろうと興味が湧きませんか。残念ながら、この本は数学の本ではないので、ここではその公式は書きません。興味が湧いた人は高校時代の数学の教科書を探し出して見てください。

私も皆さんと同じように、高校時代は微積分なんて全然興味がありませんでした。でも大人になって今書いたようなことを知り、途端に興味が湧きました。そしてもう一度、高校時代の教科書を開くと、当時はまったく意味不明だったものが、すーっと頭に入ってくるではありませんか。**楕円の中の長方形を無限に増やして、それを全部足してしまうという一見、荒唐無稽とも思える計算方法が、驚くほど簡単な公式に表され**

ているのを見て、感動すらします。そこにはストーリーがあったからです。

映画のクライマックスがいかに素晴らしくとも、ストーリーを知らずに、そのシーンだけを見ても少しも感動できません。それどころか意味不明で退屈するばかりです。

三つの箱のゲーム

数学の話をしたついでに書きますと、数学はほとんどが実用から生まれたものです。

多分、数学の一番最初は「足し算」であったと思います。人数を数える時や、穫ってきた果物の数を数える時に使ったのでしょう。そして物を配分する時に掛け算と割り算が生まれたのでしょう。もちろん私の想像ですが、多分間違っていないと思います。

実は数学の「確率」の公式も、ギャンブルから生まれたのです。たとえばポーカーのハンド（役）には順位がありますが、これは正確に確率の低い順からランクの順位が決まっています。ポーカーが生まれた当時は一般には確率の概念も公式もなかったにもかかわらず、ギャンブラーたちは経験でその難易度がわかっていたのです。余談ですが、カードマジックの基本テクニック（実は最も重要なテクニック）はイカサマギャンブラーたちが編み出したものです。人は金のためなら何でも考えます。

もう一つ確率とギャンブルで面白い話をしましょう。

昔、アメリカで、一般の出演者が賞品をもらえるゲームに参加する番組がありました。そのゲームは次のようなものです。

A、B、Cの三つの箱があり、そのうちの一つに商品が入っていますが、出演者には見えません。司会者が出演者に「どれか一つを選んでください」と言います。出演者がAの箱を指さしたとしましょう。

司会者は残るBとCの二つの箱のうち一つを開け（仮にそれをBとしましょう）、それが空っぽであることを示します。そして出演者にこう言います。

「あなたに一つチャンスを与えましょう。Cの箱に変更してもいいです。もちろん、最初の決定通りにAの箱にしたままでもいいです」

さて、もしあなたなら、どうしますか？　Cの箱に変更するのか、それともAの箱のまま変えないのか。一見、賞品の入っている確率はどちらも二分の一のように見えますね。なら、変えても変えなくても同じだとも思えます。

答えを言うと、Cの箱に変更した方が、賞品をもらえる確率は倍に増えるのです。

簡単に説明しましょう。最初に選んだAの箱に賞品が入っている確率は三分の一です。すると残りのBまたはCに入っている確率は三分の二です（三分の一＋三分の一）。ここで、司会者がBの箱を開けてそれが空になったことを示した瞬間、Cの箱の中に入っている確率は三分の二になるということです。わかりにくい方は自分で図で書いて確かめてください。

もっともこれはあくまでも確率だけのことで、現実にはどちらの箱に商品が入っているのかは開けてみないとわかりません。

確率でもう一つ。一九五〇年代にアメリカの若き数学者がブラックジャックの必勝法を編み出し、ラスベガスに乗り込んで、カジノに大損害を与えた事件がありました。その方法はカウンティングと呼ばれるもので、ディーラーが配るカードの絵札（と10）のカードを数え、残りのカードの中に絵札（と10）のカードがどれくらいの確率で現れるかを計算し、勝率の表のようなものを作ったのです。その表に従って賭けていけば勝つ確率が飛躍的に上がるのです。これは映画にもなった実話です。

ラスベガスではこれに対抗するために、これまで一組のデック（トランプの一セット）を使っていたのを、数組のデックを使うようになり、しかも残り三分の一くらいになったところで、カードを混ぜ合わせます。つまり絵札（と10）のカードを数えても無意味なようにしたのです。

それでもラスベガスでは「カウンティング」は違法行為とされていて、ブラックジャックをやりながら何かを数えている素振りを見せたり、ノートに何か書き込んだりすると、退場を促されますので、ご注意ください。

もう一つだけ面白い話をしましょう。

百年以上も数学者を悩ませた「四色問題」は地図を作る印刷業者から生まれた命題です。

いろんな国が集まっている地図を作る時、昔の印刷業者は四色あれば大丈夫ということを経験で学びます。どれだけ複雑に国が国境を接していても、四色をうまく使えば、同じ色同士がくっつくことはない、というのです。

たとえば上のような地図があっても、四色あれば同じ色が接することなく、すべての国を表すことができる。

ところが、これを数学的に証明しようとすると、恐ろしく困難であるということがわかったのです。その証明には百年以上かかりました。二十世紀の後半（一九七六年）になってようやく四色問題の証明がほぼなされたということです。ただ、それはコンピューターを使った恐ろしく複雑なもので、素人にはまず理解できない難解なものだということです。

現代の高等数学がようやく解けたほどの難しい「四色問題」（現在は「四色定理」と呼ばれる）ですが、百年以上も昔に数学の素養などなかった印刷業者が経験で発見していたというのは、考えてみればもの凄いことです。あらためて人間の脳の凄さに感服です。

どうですか、無味乾燥で意味不明な数字の羅列のように見えていた「数学」も、こうして語ると興味が湧いてきませんか。

そうなのです。世の中のどんなことでも切り口と語り口一つで「面白い話」に変わるのです。でもそのためにはどんなものにも好奇心を持ち、アンテナを広げていることが必要です。面白い話のネタというのは、実は身近に転がっているのです。

話の急所を理解していること

料理人の腕は、素材をいかにおいしい料理にするかで決まります。

下手くそな料理人はいい素材を生かしきれません。せっかくの最高級品の素材でも、ひどい味付けをされたら、台無しに終わります。逆に上手な料理人は、たいしたことのない素材でも抜群においしい料理にしてしまう腕を持っています。

これは話でも同じです。話芸の達者な人は何でもない話でも面白い話に仕立ててしまいます。逆に話の拙（つたな）い人はいい話なのに、聞いていて全然面白くないということがよくあります。

これは、話し方のリズムや間の取り方以前に、話の組み立ての差が大きいのです。同じ話でも組み立て方を変えると、がらりと変わってしまうのです。

ずいぶん前になりますが、テレビの放送作家として、伊勢の海女(あま)の番組を作るために、ロケをしていた時のことです。

カメラを回す前に、漁労長にいろいろと海女の苦労話を取材しました。私が、何か覚えているエピソードはありませんか、と尋ねると、彼はこんな話をしてくれました。

「昔、凄く寒い冬があって、その年はなぜかアワビが全然採れなかった。毎日、海女が冷たい海の中を懸命に潜ってもなかなか採れない。でも、採れないからと諦めては生活が成り立ちません。ある日、一人の海女が息の続く限り深く潜って、ついに海底に大きなアワビを見つけた。海女はそれを摑んだが、その時、同時に別の手がそのアワビを摑んだんだ」

私はその話を聞いていて、その状況が目に浮かぶようでワクワクしました。

漁労長は続けます。

「でも、二人ともせっかく摑んだアワビを離さない。そりゃそうさ、普段なら絶対に潜らない深いところまで行ってやっと見つけたアワビだ。そしてお互いにアワビを摑んだまま、海面に浮上したんだ。それで互いの顔を見たら、なんと二人は母娘だったんだ」

私はその話に感動して、漁労長に、あとでカメラを回しますから、ぜひその話をしてください、と頼みました。

そしてカメラが回って本番です。私がカメラの横で漁労長に質問します。

「印象に残っている話がありますか?」

「そうですねえ。あれは、ある寒い冬のことでした。二人の母娘の海女がいて――」

もう全部ぶちこわしです。

多分、この人はカメラの前で緊張してしまったのだと思います。

でも、もしかしたら、話の急所がわかっていなかったのかもしれません。この物語の急所は、母と娘がお互いに気付かないまま、深い海底で一つのアワビを摑み、浮上して初めてそのことを知る、というところです。聞き手もまた、話のラストで

「母と娘だったのか」と驚き、同時に不思議な感動を覚えるのです。

それを最初に、ネタバレというか、状況をすべて見せてしまうと、まったくつまらない話になってしまうのです。

ここには面白い話についてのヒントが隠されています。つまり話というのは、話す順番で面白さががらりと変わってしまうということです。これは急所の見せ方でもあります。

面白い話には、必ず「急所」があります。逆にいえば、**「急所」を伝えたいために、その話があるのです。**話術の優れた人はそれを本能的に知っています。ところが、それがわからない人は、せっかくいいネタがあっても、それを面白く話すことができないのです。


もう一つ例を挙げてみましょう。

私は三十歳くらいから髪の毛が薄くなり、ハゲへの道を進み始めました。今なら笑い話ですが、当時はハゲを食い止めようと必死でした。あらゆる養毛剤を試しました。その時、初めて知ったのですが、養毛剤というのは、しょっちゅう新製品が出ているのです。今ならその理由がよくわかります。養毛剤は効かないからです。つまりハゲで悩む人は既存の養毛剤をほとんど試しています。世の中のどこかに自分の頭に合う養毛剤があるに違いない、と思っているからです。いや、信じたいのかもしれません。

薬品メーカーはそんなハゲの心理を見抜き、「ついに出た！　これこそ究極の養毛剤」と売り出すのです。哀れなハゲは、「やっと出たか、間に合った」とばかりに飛びつくのです。もちろん全然効かず、失望する羽目になります。ところが、そうするうちにまたもや画期的な新製品発売のニュースです。ハゲはまた騙されるというわけです。私もそうでした。

前置きが長くなりましたが、そんな私が養毛剤地獄から脱け出した話が今から語るものです。

ある日、初めて行く薬局で、恥ずかしさをこらえて思い切って聞きました。

「一番効く養毛剤を出してくれ。いくら高くても買う！」

すると店の主人が奥からある製品を出してきました。

「これは絶対に効きます。少なくともあらゆる養毛剤の中で一番です」

私がどれだけ喜んだかわかるでしょうか。でも次の瞬間、あっと思いました。なんと店の主人の頭頂部がカッパのようにハゲていたのです。

この時に私の養毛剤遍歴の旅は終わりを告げました。

さて、もう皆さんもおわかりと思いますが、店の主人がハゲていたのは最後に語るネタです。話の急所もそこにあります。これを最初に言ってしまえば、話になりません。

あまりいい例ではなかったですが、なんでもない話でも、語る順番を入れ替えるだけで、聞く印象はまったく違ってしまうということはよくあります。

余談ですが、優れた映画や小説も、結局はそのあたりがうまく構成されています。小説や映画だとオチが唐突にならないように、きちんと伏線が敷かれたりしていますが、雑談ではそこまでやる必要はないでしょう。ただ、オチを読まれないようにすることは大切です。

話を必要以上に引っ張ると、オチを読まれてしまう危険もあるので注意してください。

ストックを持とう

面白い話をする人は、いつも即座にいろんな話が出てきます。実はそういう人は普段からいくつもネタを持っています。ピアニストが何曲ものレパートリーを持っているように、落語家がいくつも持ちネタを持っているように、あるいは講演で食べている人がいくつも講演タイトル（テーマ）を持っているように、話の面白い人というのも、いつでも披露できる話をいくつも持っているのです。

ですから皆さんも、面白い話ができる人になりたいと思えば、普段から、面白い話をストックしておくことをお勧めします。そのためには、まずネタを仕入れることです。

本や新聞を読む時も、テレビを見る時も、人の話を聞く時も、「面白いと思えば、それを覚える」という気持ちを持ちましょう。そういう気持ちでいると、情報の頭への入り方がまったく違ってきます。

面白い話をする人というのは、他人から聞いた話を、まるで自分が仕入れてきたかのように上手に話します。そういう人は他人の話をよく聞き、それを自家薬籠(じかやくろう)中(ちゅう)のものにしてしまうのです。インプット量を増やすことはとても大事なことです。まずはストックをため込みましょう。

そういう目で情報に接していけば、実は世の中は面白いネタにあふれています。私はツイッターをやっていますが、時折リツイートで流れてくるネタの中には傑作な話があります。そういうのを読んで爆笑しただけで終わるのはもったいない。笑わせてもらったネタはしっかりと頭の中に入れておき、機会があれば人に披露します。

私がツイッターで見つけたお気に入りのネタはいくつもありますが、一番好きなのはこれです。

ある男の子が銭湯で番台のおばちゃんに尋ねます。

「男の子はいくつになったら女湯に入れなくなるの」

すると、おばちゃんはこう答えます。

「女湯に入りたい、と思った時」

初めてこの話を見た時、私は腹を抱えて笑いました。それ以来、たまに人にも話しますが、男性は全員爆笑します。他愛ないネタですが、見ようによっては実に深いものを感じさせます。裸というのは性的な目で見るからエロチックなので、そうでない目で見ればただの肉体です。これは見られる女性の立場でも同じです。性欲の目で見られると羞恥を覚えますが、そうでない目で見られれば何の羞恥も覚えないのです。

まあ、そこまで考えなくても、ただ笑えばいいだけの話かもしれません。とにかく私はこの話が大好きで、たまに人前で言います。もちろん、「ツイッターで見つけて、大笑いしたネタ」と断ります。

ツイッターで見つけたもう一つ面白いネタを書きましょう。これも私のお気に入りのものです。

ある人が公衆トイレの個室に入って腰を下ろした途端、隣の個室から「元気か」

と声がかかります。彼は戸惑いながらも、「はい」と答えます。すると、「それは何よりだ」と言われたので、彼も「どうも」と返します。隣の人がさらに「今、何してる?」と訊いてきたので、彼は「トイレだけど」と答えます。すると急に隣は静かになります。そして小さな声が聞こえてきました。

「隣のトイレに、おかしな奴がいるから、またあとで電話するわ」


ツイッターだけでなく、愉快な話はその気になればどこでも見つかります。

もちろん知的な話、興味深い話、洞察に富んだ話などは、本や新聞にはふんだんにあります。自分のアンテナにひっかかったならば、ぜひ、その話を頭の中にインプットしておいてください。

余談ですが、私は小説家志望の若い人から、「どうやったら小説が書けますか」と訊かれることがたまにあります。これは簡単には答えられるものではありませんが、私はまず「インプット量を増やせ」と言います。

人は何もないところから物を生み出すことはできません。ですからアウトプットしようと思えば、インプットがなければ無理です。それも一〇インプットして一〇アウトプットしようというのは虫が良すぎます。一〇〇インプットして三くらいアウトプットできれば上出来でしょう。

自慢話で人を感動させるのは難しい

共感や感動を生む普遍性が求められる

自慢話くらい面白くないものはありません。特に金を儲けた話、ビジネスで成功した話、持ち物自慢、知り合いに有名人がいる自慢、異性にモテた話――こういった話を聞いていて楽しくなることはほとんどありません。

人は成功した話を他人にしたいという欲望があります。自分にとってはそれが凄く興味深いことで、つい他人にも興味を持ってもらえるという勘違いをします。また恐る恐るしてみると、他人が興味を持って聞いてくれる姿を見て、やはり、と思います。でも、それは他人が興味深く聞いているふりをしているだけで、本当は

「こんな話早くやめてくれ」と思っています。

もっともあなたの本当の親友や、家族は別です。いや、親友さえも「自慢話」は聞きたくないだろうと思っているあなた、それは間違いです。親友の自慢話を聞きたくないというなら、それは親友ではありません。また自分の自慢話をこいつは面白がって聞いてくれないだろうなと思う相手は、あなたの親友ではありません。

もちろんそうはいっても程度問題で、その自慢話に面白い話がどこにもなければどうしようもありません。私が言っているのは、そのサクセスストーリーが、普遍的な面白さを持っていなければ、いくら親友でも聞いていられないということです。

たとえば私が書いた『海賊とよばれた男』の主人公のモデル、出光佐三は二十代半ばに、資産家の日田重太郎から「これで独立して商売せよ」と六千円（現在の貨幣価値に直せば数千万～一億円）という金を与えられました。

日田は大学生時代から佐三を見ていて、「この男は何かをやる男だ」と見抜いていたのです。そして、独立して会社を起こしたいと思っていた佐三のために、別荘を売り、その金を無償で与えたのです。

でも数年後、その資金をほとんどなくしてしまった佐三は日田に謝り、会社をたたむと言いました。すると日田は、「あとなんぼあったらええのや」と言ったのです。

「自宅を売れば五千円くらいになる。その金をやるから、頑張ってみろ。それで、どうしてもあかんかったら、一緒に乞食をやろうやないか」

その言葉を聞いた佐三は死に物狂いで頑張り、ついに従業員一万人の出光興産という巨大企業を作り上げました。

もし私が佐三の知り合いで、彼からこういう話を聞かされたら、夢中で聞いたことだろうと思います。この話は単なる自慢話ではなく、普遍性のある話になっているからです。

ですから自慢話が一概にダメだというわけではありません。その話が聞いている人の共感を呼び、また誰が聞いても感動できる普遍性があれば、全然問題はありません。

友人I君のレンタカー会社の話

私の大学時代からの友人でＩ君という男がいます。Ｉ君は、関西を中心にレンタカー会社を経営していた父親のもとで働いていましたが、彼が三十五歳の時に父親が急死しました。

跡を継いだ彼は会社の内情を知って愕然（がくぜん）とします。なんと借金まみれだったのです。I君はそれらを清算するために、いくつもあった営業所や土地など会社資産を半分以上売却しました。それだけでは済まず、自宅も売り、さらに姉の家まで売りました。母親は「お父さんが何年もかけて築いた財産を手放した」と大泣きしたそうです。

そうして規模が半分以下になった会社で細々とレンタカー会社をしていましたが、さらに彼を不運が襲います。一九九五年に阪神淡路大震災が起こったのです。営業所も大きな被害を受けましたが、それよりも大きなダメージを受けたのは、レンタカーの予約が全部キャンセルになったことです。レンタカー会社というのは日銭商売です。それがまったく一円も入ってこなくなり、たちまち会社は経営難に陥りました。

I君は「いよいよ、この商売も終わりか」と思い、会社をたたむ準備をしていたそうです。

ところが震災から三ヶ月くらい経った頃、「トラックを貸してほしい」という電話がかかってきました。トラックならいくらでも余っています。I君は売り払う予定だったトラックを貸します。翌日、また別の客からトラックの注文がありました。さらに翌日も、また翌日も。トラックの注文は日を追うごとに増えていきます。

それらのトラックは復興のための資材運びや、がれきや廃材を処理するためのトラックだったのです。

I君はこの時、大勝負に出ます。残っている土地や営業所を担保にして金を借り、トラックを買えるだけ購入しました。

手に入れたトラックは凄い勢いで稼働していきました。あっという間に償却が終わり、あとはすべて儲けになったと言っていました。そして稼いだ金でまたトラックを買い、さらに売り上げを増しました。

そして復興が一段落する前にトラックのほとんどを売り払いましたが、まだまだトラック需要が高く、買値近くで売れたそうです。彼はその金で商売を大きく広げ、さらに寝る間も惜しんで働きに働き、五十歳前にして、ひと財産といえるものを築きました。

たしかに彼はツキに恵まれました。でも、レンタカー会社は一つだけではありません。多くのレンタカー会社は彼のような勝負には出ませんでした。彼にしても絶対に勝てるという保証はありませんでした。下手すれば大借金を残して倒産する危険もあったのです。

彼を見ていると、大きな成功はどこかで大きな勝負に出ないと無理だなと思いました。これはギャンブルに似ています。小銭をちょびちょび賭けていると、大負けはしないけれど、大勝ちもしません。

もっともI君は五十歳くらいで実質的な経営は弟に譲り、会社にはあまり顔を出さなくなりました。そこで会社の急成長もストップしました。

I君は苦笑まじりにこう言います。

「結局、それが僕という人間の器の限界でした。もし僕がもっと経営者としての器が大きかったら、全国的な規模の会社にすることもできたかもしれません。そやけど、ある程度の金を手に入れて、安心してしもたんですわ」

そしてこのあとにこう付け加えました。

「けど、全国的な規模の会社にしようとしたら、また大勝負せなあきません。もしかしたら、それで失敗して、今頃は破産していたかもしれません。そやから、まあこれで良かったかなと思ってるんですわ」

どうですか。I君の話は嫌な自慢には聞こえなかったのではないでしょうか。それは彼の話に普遍性があったからだと思います。

ですから、もし皆さんが自分の成功譚(せいこうたん)を話そうと思えば、それにできるだけ普遍性を持たせ、なおかつドラマのように面白く語ってください。その自信がないようなら、自分の自慢話は控えた方がいいかもしれません。

失敗談ほど面白いものはない

ラブレターで大失敗

自分の失敗談やドジった話は、ある意味で最高の雑談ネタです。

大勢が集まる中で、愉快な失敗談を話すと、皆大喜びします。人はいかに面白い話でも自慢話には心から楽しめませんが、失敗した話は素直に笑えます。

でも、恥ずかしい過去や失敗を他人に話すというのは、なかなか度胸のいるものです。だからこそ、それを笑いに変えて話すと、人は喜んで聞いてくれますし、またそういう話を堂々とするあなたに好意と敬意を抱いてくれるものなのです。

異性に派手にふられた話、就職の面接でやってしまった失敗、その他、日常でやらかした恥ずかしい行為など、なんでもいいのです。ただ、大事なのは、聞いている人が思わず、くすっと笑ってしまうおかしさがなくてはいけない、ということです。笑えない失敗話は逆に全然面白くありません。

ですから、失敗談といっても、本当の悲劇はダメです。いかに不思議な話でも、そういう話は楽しい雑談には向きません。

また、失敗談を話す時には、変に言い訳をしたり、恨み言を言ったりするのは避けた方がいいでしょう。それを入れると愚痴になってしまい、明るい話になりません。失敗談はあくまで明るくなくてはいけません。

私は間抜けな人間なので、失敗話などは山のようにあります。思いつくままにいくつか書いてみましょう。

若い時、好きな女性に一晩かかってラブレターを書き、ポストに投函したあとに、封筒に入れたのは下書きだったことに気付いたことがあります。実はその下書きの裏に、彼女の似顔絵をいたずら書きしていたのですが、余計なことにそこにおっぱいまで描いていたのです。手紙を出した翌日に、机の上にラブレターの清書を見つけた時は、舌嚙んで死のうかと思いました。

私は中学時代、全然勉強ができなくて、高校進学も危ない状態でした。当時、奈良に住んでいたのですが、その頃、私学でもの凄く出来の悪い高校が一つありました。私たちはよく友人間で悪口を言う時、「○○高へ行け！」と冗談で言っていました。口の悪い私などはしょっちゅう言ったものです。中学三年の秋、親を交えた進路指導があり、担任教師が私の母に、「お宅の息子さんは県立高校はどこを受けても落ちそうです。ですから○○高校を受けてください」と言ったのです。私は「いやや」と言いました。

「そんなとこ受けたら、ツレ（友人のこと）に何を言われるかわからへん。落ちてもいいから県立を受ける」

でも親と担任教師に説得され、しぶしぶ受けさせられました。私の中学からそこを受けたのはわずかに三人です。そしてなんと、私だけが落ちてしまったのです。あの時は、卒業まで全部休んでしまおうかと思ったくらいです。

ところが不合格通知の数日後、○○高校から呼び出しを受けたのです。不合格はミスだったので、取り消しますということかなと思って、私は母に連れられて高校へ行きました。

応接室で先生が説明してくれたところによると、私の受験の点数は合格ラインだったとのことです。試験は英語と国語の二科目だけでした。

「実は百田君の点数は合計で四〇点、これは合格ラインだったのですが、英語が零点でした。うちの高校は正直言ってあまり優秀な子は受けに来ませんが、それでも零点はひどいということになったのです」

「その日は調子が悪かった。普段なら五点くらいは取れる」

と私は言いました。

先生は、「数学はどうですか？」と尋ねました。私は「数学は英語よりも得意」と胸を張って答えました。

すると、先生は紙にある公式を書いて私に見せました。

「これがわかりますか？」

見覚えのある式です。しばらく見ていると、因数分解の基本的な公式の問題だったのを思い出しました。たしか中学三年生の数学の教科書の一番最初にありました。私は記憶を頼りに、紙に答えを書きました。それを黙って見ていた先生は、

「後日、また連絡します」と言いました。

家に帰ってすぐに数学の教科書を開くと、私の書いた答えは間違っていました。後日、あらためて不合格という知らせが来ました。

もう五十年近くも昔のことですが、この時のことは今でもはっきりと覚えています。当時、十五歳だった私はそれなりに大いに傷ついたものです。

それでも高校は何とか県で一、二位を争うくらい偏差値の低い学校に滑り込むことができたのですが（同窓生や後輩がいるので、名前は明かせません）、そこでも勉強ができないことによる恥ずかしい話は山のようにあります。またいずれ機会があれ

ば話しましょう。

漏らしてしまった話

大人になってからも失敗は山のようにあります。ただ、私の失敗の多くは暴言、失言の類いで、これはこれで面白いのですが、明るい笑いにはなりません。

現在、私はニコ生（ニコニコ生放送）の「百田尚樹チャンネル」という番組で、生放送で喋っているのですが、そこでやたらと受けた話がありました。それは私が大人になってウンコを漏らしたという話です。最初はそんな話をするつもりはなかったのですが、ニコ生というのは、見ている人がリアルにコメントを送ることができます。たまたま「探偵！　ナイトスクープ」という番組（私が構成を担当）の中で「男はウンコを漏らしたことがある？」という街頭インタビューをしたことがあるという話をした時、視聴者から「百田さんはあるの？」と訊かれたので、「何度もある」と答えると、「その話をして」と言われ、してしまったというわけです。

それはこういう話です。

私が四十歳の時です。たまたま親戚に不幸があって、葬式に出席しました。その頃、私はいつもだらしない服装をしていました。ズボンは腰のところにゴムが入ったもので、ベルトなんかしたことがありませんでした。足もともサンダルです。そんな私がその日は礼服を着ていたわけですが、そんな日は一年に一、二度あるかどうかです。

夕方、葬式の帰りに車を運転していると、急激に腹の調子が悪くなりました。このままでは漏らしてしまうと焦りましたが、しばらく走ると、大型ショッピングモールが見つかりました。私は駐車場に車を入れると、必死で店の中に入りました。もうその時は、いつ漏れてもおかしくないという状態でした。

一階のトイレに入ろうとすると、そこには女性トイレしかありませんでした。今にして思えば、そこに入るべきでした。緊急避難ですから許されたと思います。

私は死ぬような思いで階段をゆっくりと上り、二階のトイレに行きました。運のいいことに個室が一つ空いていました。ところが、私の嫌いな和式です。でも不満を言っている場合ではありません。便意はもう限界です。

私はすぐさま個室に入り、ズボンを脱ごうとしましたが、腰の部分で引っかかってしまいました。あまりにも焦っていたため、普段穿いているゴムのズボンと勘違いしていたのです。

ズボンを脱ぎかけたと同時に緩めていた肛門に、もう一度渾身の力を込め、大急ぎでベルトを外しました。そして今度こそ、と思い切ってズボンを脱ごうとすると、またしても腰のところに引っかかったのです。思わず、「わー！」と叫んだ気もします。

ズボンはボタンで留められていたのです。私はあらん限りの力を肛門に集中し、震える指でボタンを外しました。間一髪、間に合ったと思って、肛門の力を抜くと同時に、しゃがみ込みながらズボンを下ろそうとしました――が、ズボンは下りません。なんとボタンはもう一つあったのです。

終わった――と思いました。同時に私は完全に緩んだ肛門から温かいものが出てくるのを呆然と感じていました。

あの絶望感と解放感が入り混じった気持ちはどう表現すればいいのでしょう。なすすべもなく、ただただ私の体に起こっている現象を受け止めているしかなかったのです。

余談ながら、あれは一度出ると、途中で止められません。要するに全部出てしまうのです。パンツの中からはみ出たものがズボンを通して足に流れていきますが、どうすることもできません。

さて、すべてが終わると、あらためて自分の置かれている状況に絶望せずにはおれませんでした。パンツもズボンも大変なことになっています。おまけに革靴の中にまで入っています。

私は個室の中で下を全部脱ぎ、便器の中でズボンと靴を洗いました。まさか自分の人生で和式トイレの便器でズボンを洗う日が来るとは思ってもいませんでした。人生にはこういうこともあるのだなと妙な達観を得たのもたしかです。パンツと靴下はさすがに捨てました。

その後、びしょびしょのズボンを穿いたまま、紳士服の売り場で下着と替えのズボンを買い、もう一度トイレで着替え、ショッピングモールをあとにしましたが、あたりはもうすっかり暗くなっていました。あの時は、不幸というものは、日常生活のすぐ隣にあるのだなあと不思議な感慨を覚えました。

こんな尾籠（びろう）な話を書いて、読者の皆さんには大変申し訳ありませんでした。失敗談の例として挙げたのですが、さすがにこれは書きすぎたかもしれません。

まあ、ここまでの失敗は極端ですが、皆さんも過去の人生を振り返れば、面白い失敗はあると思います。当時は恥ずかしくてとても人に喋れるような心境ではなかったけれど、時が経つにつれて、それを笑いにできるようになった話もあると思います。

実は失敗を笑いに変えることができるのは、人間の成長の証しなのではないかと私は思っています。人が失敗話を楽しんで聞くのは、そういう心の余裕を見て楽しんでいるのではないかという気もします。

ですから皆さん、自分の人生を振り返って、面白い失敗を探してみましょう。

何、そんな失敗は一つもない？　うーん、そういう人生は味気ないですね。人生は多くの失敗を重ねて、人としての幅ができ、人の痛みや心がわかる人間になっていくのだと思います。

雑談で選ばない方が無難なテーマ

よく雑談でしてはいけない話題というのがあると言われます。

政治、株、宗教です。これは多くの場合、議論や口論に発展する危険があるからです。もっとも私はそんなことはまったく気にせずに、政治の話題でもどんどんやりますが、皆さんは控えた方が無難かもしれません。

男女関係なく興味を持つ話題は、やはり性の話です。とはいってもこれはレベルが難しい。下ネタを嫌う人はどこにでもいるからです。実はかくいう私も下ネタはあまり好きではありません。

ただ、**動物の性の話はわりに安心して聞けます。**もっとも犬の交尾の話とか、馬の種付けの話は露骨すぎて、女性は引きます。私はテレビの放送作家時代に、一度、競走馬の種付けの現場を取材したことがありますが、それはそれは強烈なものので、この話をすると、男性はたいてい大喜びしますが、女性の多くは顔をしかめます。ですから、ここでは差し控えます。

えっ、気になりますか？　うーん——。わかりました。では、書いてもいい部分で少しだけ書きます。

競走馬の種付けは非常に金がかかるもので、現役時代に輝かしい実績を持った牡馬（オスウマ）の種をもらうには一回何百万円もかかります。ですから、種付け（交尾）に失敗などは許されません。

人間の男性でも、調子の悪い時はうまくいかないこともありますが、馬でもたまにそういうことはあるそうです。それに馬とはいえ哺乳類ですから、相性が合わない相手もあるでしょう。

そこで人間はとんでもないことを考えました。牝馬（メスウマ）にあらかじめ別の牡馬をあてがい、受け入れ準備オーケーの状態にしておくのです。あ、その前に書いておかなければいけないのですが、この時、牝馬は縛られています。なんかSMプレイみたいですね。

あてがわれた牡馬は牝馬とやれるものと思っていますから、もう大喜びです。そして人間でいうところの前戯のような行為を行います（これはちょっと具体的には書けません）。それで牝馬も興奮しまくり、「さあ、いつでも来て！」という状態になります（これもちょっと具体的に書けません）。牡馬の興奮度も最高潮です。牝馬の後ろから乗りかかろうとします。

が、しかし、この時、無情にも人間たちが彼の首にかけられたロープを引っ張り、牝馬から引きはがすのです。牝馬と結ばれる直前に彼女と引き離される牡馬は悲鳴を上げます。私は馬の悲鳴を初めて聞きましたが、とても聞いてはいられないほど悲痛なものです。馬が可哀想すぎて見ていられませんでした。

そして牡馬がいなくなったところへ、本命の牡馬が悠然とやってきます。牝馬はさっきからもうとんでもない状態になっています。それを見た本命の牡馬は一瞬にして興奮します。そして牝馬に乗りかかって結合、というわけです。

ちなみに、この時、最初にあてがわれる牡馬を「当て馬」といいます。これは「ダミー」とか「噛ませ犬」という意味でよく使われています。要するに本命以外のどうでもいい存在として使われる言葉ですが、実はこの言葉には、悲しすぎる馬の物語があったのです。

さすがにこれはちょっと生々しい話なので、子供にはできません。

ですが、チョウチンアンコウの話なら、おそらく子供でも大丈夫です。

チョウチンアンコウは海底二〇〇〜八〇〇メートルのところに生息する深海魚です。八〇〇メートルとなると、太陽光もほとんど届かず、あたりは真っ暗です。それでチョウチンアンコウは頭のところの突起から発光体を出し、それに引き寄せられた小魚を食べるのです。チョウチンアンコウの名前の由来はそこからきています。

さて、チョウチンアンコウの一種であるビワアンコウはメスが一・二メートル近くになるのに対して、オスは一〇センチメートルくらいしかありません。体重差は一〇〇〇分の一前後でしょう。それはともかく、暗い深海の中ですから、オスとメスがなかなか出会えません。産卵期に出会えなければ、子孫を残せません。そこでビワアンコウのオスはメスに出会うと、メスの体に嚙みついて離れないようにするのです。そのためにオスの口はペンチのようになっています。

オスは嚙みついたまま離れないものですから、やがて口がメスの体に癒着してしまいます。そしてメスの体から直接、血管を通して栄養分が補給されていきます。同時に、ほとんど用無しになった消化器官や目は退化していきます。そして、やが

癒着するビワアンコウのメスとオス（写真提供：東海大学海洋科学博物館）

て脳や心臓もなくなり、生殖のために必要な精嚢（せいのう）しか残らなくなります。つまりオスは死んではいないのですが、その存在はほとんどなくなっている状態になります。大きなメスの体にはそうしたオスがいくつもくっついています。なんとも異様な光景です。

　カマキリのオスは交尾の最中にメスに食べられる哀れな最期を迎えますが、ビワアンコウのオスもまた悲惨さではいい勝負です。

　私はこの話をよくするのですが、そうすると男性の中にはたまに、「そういう人生もいいなあ」と言う奴が出てきます。たしかに考えてみれば、愛する女の体に同化して自我も何もかも失うのも一つの幸福かもしれません。

この他にも動物界のオスとメスには驚くべき話がいくらでもあります。クマノミの性転換は有名ですね。熱帯魚であるクマノミはイソギンチャクの近くで群れになって棲んでいます。クマノミは小さい頃はオスでもメスでもありません。なんと群れの中の一番大きい個体がメスになるのです。そして二番目に大きい個体がオスとなってカップルになります。

それだけでも十分おかしいですが、驚くのはこのあとです。もしメスが何らかの事情で亡くなると、オスがメスに性転換するのです。そして群れの中の二番目に大きい個体が新しいオスになるのです。

いったい、これが種族繁栄のためにどんな利点があるのかはわかりませんが、なんともややこしい進化を遂げたものです。でも一生の間に男と女の両方を体験できるのは少し羨ましい気もします。

ところで一番大きい個体というのはどうやって区別するのでしょうか。クマノミは目で見て他の個体たちの大きさを比較しているようです。でも他のクマノミの大きさを比較できても、自分との比較は難しいと思うのですが、そのあたりもクマノミ自身はわかっているのでしょうか。

一方、ギフチョウという蝶々の話はどことなく笑えます。

ギフチョウのオスはメスを捕まえて交尾すると、その後、そのメスが他のオスと交尾できないように生殖器をふさいでしまいます。まるで中世ヨーロッパの貞操帯を連想します。ですから、この「貞操帯」がないギフチョウのメスは「処女」ということになります。もっともオスはその後、他のメスとも交尾できます。

ちなみに貞操帯は十字軍の遠征に行く兵士が、留守中に妻が浮気をしないようにと作られたといわれていますが、どうもその説は嘘のようです。実際は後世に作られた性具ということです。この話も子供にはできません。

人間というものはおかしなもので、動物の性の話なのに、人間に置き換えて聞いてしまうというところがあります。だからこそ、こういう話が盛り上がるのかもしれません。

たしかに動物の性には人間社会に似ていると思えるものがよくあります。生涯、一つのつがいで生きる動物もいれば、強いオスが沢山のメスを支配しているハーレムを作る動物もいます。私たちが動物の性の話に引き付けられるのは、無意識に自分たちの性のことを考えているからかもしれません。

動物の性について書かれた本はいくらでもあります。きっとあなたの琴線に触れる話がいくつかあるはずです。そういう話を持ちネタに仕入れておいて損はありません。

第二章

その気になれば、誰でも雑談上手になれる

相手ではなく、自分が関心を持つ話題を探せ

いかがですか。第一章を読まれて、周りの人に面白い話を披露してみたい気持ちになられたのではないでしょうか。そこでこの第二章では、より実践に則したアドバイス、あるいは雑談の前提になる考え方といったことを述べていきたいと思います。

まず、雑談について、多くの人が大きな勘違いをしているのは、「相手が興味を持ちそうな話をすればいい」と思っていることです。実はこれは全然違います。**本当に面白い話は、「話し手が一番興味のある話題」なのです。**

「そんな自分勝手な話は、自己満足じゃないか！」と思われる方がいるかもしれません。しかしそうではありません。自分が夢中になった話は、他人も面白がるものなのです。それに自分が面白がらなければ、他人だって面白がって聞いてくれません。

私の小説のテーマ

マニアックな話であってもかまいません。むしろマニアックな話題というのは多くの人が普段あまり聞くことのない話だけに、逆に興味を持って聞いてもらえる可能性が高いのです。

ただ、ここで凄く大切なことは、その個人的な興味の話を、「いかに面白く話せるか」です。その話が面白いかどうかは、それにかかっています。別の言い方をすれば、「自分の話したいことを、聞く方の身になって話す」ということです。

少し話がずれますが、これは小説でも同じだと思っています。よく小説家の中には、「どういうテーマを選べば、読者は喜んでくれるのだろうか」という観点からテーマ選びをしているような人もいます。でも、これは間違いです。小説家は、自分が一番面白いと思うテーマを書くべきなのです。

私は『永遠の０』という、大東亜戦争と零戦をテーマに書いた小説でデビューしました。もともと旧日本軍の戦闘機や爆撃機、それに空母などには興味があったので、この小説の中にはそうしたマニアックな話が沢山出てきます。

九七式艦上攻撃機や九九式艦上爆撃機についての細かい話もあります。空母の着艦のやり方や、当時の海軍のシステム、また大東亜戦争における太平洋の個々の戦闘についても、戦記マニアの本かと思われるほど、細かい話が出てきます。

しかし読者から、「そうした話は煩わしい」という声はほとんど聞きませんでした。読者の多くは、初めて知るそうした旧日本軍の戦闘——私たちの父祖が国を守るために、いかにして知恵と勇気をふりしぼって戦ってきたのかを、むしろ興味深く読んでくれたのです。

『永遠の０』は最初、大手出版社に持ち込みましたが、断られました。理由はいくつもあったのですが、一番の理由は「読者が戦争ものに興味を持たない」というものでした。戦争を扱った読み物は、「マニアックな戦記好き」しか読まず、しかも彼らはノンフィクションにしか興味を持たないというのが、出版界の常識だったのです。

でもマニアックな戦記好きではない私が、零戦の話を知った時、大いに興味をそそられ、また感動したのです。だから、その話に感動する人は少なくない、と思ったのです。零戦の話など知ることなく育った人が大半で、そういう人に「面白く」

（という表現は語弊がありますが）話せば、きっと興味を持ってくれるはずと思ったのです。

『永遠の0』は紆余曲折あって、太田出版という小規模の出版社から出版され、その後、講談社文庫になり、映画化などの幸運にも恵まれ、累計で五〇〇万部近く売れました。

私の次の長編作品は、『ボックス！』です。これはアマチュアボクシングがテーマです。実は私は大学時代、ボクシング部に所属していました。試合にも何度も出ました。つまり自分自身が大好きなスポーツだったのです。

アマチュアボクシングの世界に興味を持ってくれる人は圧倒的少数派です。でも私はその話を面白く語れば、きっと多くの人が興味を抱いてくれるはずだと信じていました。ダッキング、スウェーバック、レバーブローなど、ボクシングの専門用語がふんだんに飛び出す、ある意味非常にマニアックな小説です。でも、これも累計で一〇〇万部近く売れました。

次に書いたのは『風の中のマリア』です。これはなんとオオスズメバチがテーマです。登場人物に人間はまったく出ません。出てくるのはすべて昆虫です。これも出版社には二の足を踏まれました。でも、私はオオスズメバチの話はきっと面白く読んでもらえるという自信がありました。というのは、私はテレビの放送作家時代、オオスズメバチの巣を捕るという番組を作ったのですが、オオスズメバチの生態について調べた時、彼女たち（オオスズメバチの働き蜂はすべてメス）の驚くべき生態に夢中になったからです。この話を物語にすればきっと多くの読者も私と同じように夢中になってくれる――私はそう信じて書きました。

この奇妙な小説も、五〇万部近く売れました。オオスズメバチという超マニアックな世界を描いて、これほど売れたのは自分では大健闘だと思っています。

その後の私の小説のテーマを書けば、「自費出版」「整形手術」「戦後の石油業界」「多重人格」などです。「整形手術」を除いて、あまり多くの人が関心を持ちそうなテーマではありません。けど、すべてそこそこに売れました。

何か自分の小説の出版部数を自慢しているようですね。申し訳ありません。私が言いたかったことは、どれほどマニアックなテーマであっても、自分が面白いと思ったものに自信を持ってほしいというものです。

零戦の話――機体に直線がほとんどない奇跡の戦闘機

そして、ここで大切なことは、相手が最初興味の持っていない話題を「いかに面白く話せるか」です。そのために、読者はそのことを何も知らないという前提で書きます。知っている前提で書くのでは、最初からマニア向けの本になります。

たとえば私が零戦の話をする時は、まず零戦が不可能を可能にした戦闘機という話をします。当時の戦闘機で大切なものは、「格闘性能」と「速度」です。格闘性能というのは、敵の戦闘機を空中戦で落とすために必要な性能で、簡単にいえば小回りがきくことです。くるりと相手の後ろに回ることができれば、空中戦に勝利できます。もう一つのポイントである「速度」の重要性はいうまでもありません。相手の戦闘機や爆撃機よりも速く飛べるというのは、大変なアドバンテージです。

ところが、ここに問題があります。実は飛行機の性質上、格闘性能と速度は相反するものなのです。つまり格闘性能を増せば速度が出にくくなり、逆に速度の速い戦闘機は格闘性能が落ちるのです。それで当時の先進国は、戦闘機の用法を考え、どちらを優先するかで設計を決めました。

でも旧日本海軍は航空会社に、他の戦闘機を凌駕（りょうが）する格闘性能と他の戦闘機よりも速い速度を要求しました。しかも、当時としては常識外れの航続距離の要求までありました。あまりの要求に、多くの航空会社はこのコンペから降りました。しかし三菱重工業の若き飛行機技師、堀越二郎は敢えてこの飛行機の設計に挑みました。そして、なんと海軍の要求通りの戦闘機を作り上げたのです。しかも航続距離は当時の先進国の戦闘機の倍もありました。

これは当時の常識を超えた奇跡の戦闘機だったのです。当時、飛行機はあらゆるテクノロジーの最高峰でした。そのジャンルに、日本人がいきなり世界最高級の戦闘機を作り上げることに成功したのです。

大東亜戦争が始まった当初、アメリカ軍は劣等なアジア人がまともな飛行機など作れるはずがないと、零戦を舐（な）めてかかりました。しかし零戦と格闘したアメリカ軍の戦闘機はバッタバッタと落とされました。空中戦はドッグファイトと呼ばれます。犬同士が互いに相手の尻尾を噛もうとぐるぐる回る様子からできた言葉だそうです。

零戦にドッグファイトを挑んだアメリカの戦闘機は、三回転するまでに零戦に後ろにつかれ、銃撃を浴びて撃墜されたそうです。

そのうちに連合軍も「これは恐ろしい戦闘機だ」ということで、驚くような指令が出されます。それは、任務を途中で放棄していいケースは、「雷雨と遭遇した時」と「零戦に遭遇した時」というものでした。


零戦は日本のモノづくりの伝統が生んだ最高の兵器でしたが、実はここに零戦の欠点がありました。というのは、モノづくりにこだわりすぎた結果、一機の零戦を生み出すのに、大変な工程と時間がかかったことです。

たとえば画期的な沈頭鋲です。鉄板を継ぎ合わせるためには鉄の鋲を打ちますが、普通に鋲を打つと鋲の頭が飛び出ています。それ自体は小さなものですが、一つの機体に何千とありますから、これらは空気抵抗を生み、速度をわずかながら落とすもととなります。そこで堀越は鋲の頭が出ないように「沈頭鋲」という鋲を考えたのです。たしかにこれで空気抵抗が減り、速度は上がりましたが、そのために工程数が増え、工程時間も延びたのです。

また機体を軽くするために、中に入っている骨組みに穴を開けるという作業もし

復元された零戦（写真提供：産経新聞社）

ました。そのためにまた多くの工程が増えました。

さらに最高性能を得るために、機体にはすべて微妙なカーブがあります。零戦には直線でできた部分がほとんどありません。これが零戦の美しさであり、今も世界の戦闘機マニアから人気の高い理由の一つです。同時代にできたアメリカのグラマンは、直線ばかりで、翼の形もハサミで切ったように、台形に近い形をしています。もちろん機体一面にはでかい鋲の頭が出ています。

でも実はアメリカ人も、その状態では速攻の性能は望めないことはわかっていました。わかっていながらそうしたのは、「作りやすさ」を考えてのことだったのです。戦時で主婦などを工場で働かせる場合も想定し、熟練工でなくても作ることができ、大量生産がしやすいように設計されていたのです。一機一機の性能は多少劣っても、数で圧倒すれば戦いには勝てる――グラマンはそういう思想で作られた量産用の戦闘機であったともいえます。それに対して零戦は、日本的な徹底したモノづくりの精神で作られた手作りの芸術作品のような気がします。

零戦に関してはまだまだいくらでも語れますが、どうですか？　零戦についてまったく関心のなかった人でも、興味深く読めたのではありませんか。いや、全然面白くなかったと言われれば、「失礼しました」と申し上げるほかありませんが。

話がかなり長くなりましたが、私が言いたかったことを繰り返しますと、**人に面白い話をしようと思う時は、「あなた自身が面白いと思うことを話すこと」と、「話のテーマになっていることを、聞き手は何も知らないという前提で話すこと」です。**ひとりよがりの話ではいけません。

一番大切なことは「人を楽しませたい」という気持ち

同じ「自分の話」でもまったく違う

面白い話のテクニックはいくつかあります。でも、一番大切なことは、テクニックではありません。

それは「人を楽しませたい」という気持ちです。

この気持ちがなければ、面白い話なんかできません。いや、それ以前に、面白い話をすることの動機そのものが生まれないでしょう。ですから、その気持ちを持つことが基本になります。

話し好きの人の中には、自分の話しかしない人もいます。そういう人は、「人を楽しませたい」という気持ちはほとんどありません。ただ、自分の話を人に聞いてもらいたいだけです。当然、そういう話は聞いていて全然面白くありません。出してくる話題も、人が興味を持つ話題かどうかなんて考えません。ただ、自分のしたい話をするだけです。話の途中で相手がだれていようが退屈しようがおかまいなしに喋ります。それで話がますます面白くなくなります。

逆に自分の話しかしていないのに、凄く面白く感じさせる人もいます。そういう人は自分のことをネタにして「人を楽しませたい」と思っている人です。

「こんな話をすれば、喜んでくれるだろう」
「こんな話をすれば、興味を持ってくれるだろう」
「こんな話をすれば、笑ってくれるだろう」

こういう気持ちが、面白い話をする時の基本です。

皆さんも、思い当たることがあるでしょう。会社や外で、凄く面白い出来事があったりすると、家に帰って嫁さん（旦那さん）に教えてあげたい、と思うことが。自分はそんな気持ちになったことがないという人は、申し訳ないですが、この本を手に取られた意味もないと思います。

でも「人を楽しませたい」という気持ちがあれば、まず話題の選択から違います。そして無駄な部分をなくして簡潔にしようと努力します。また話の途中で相手の反応を常にうかがい、臨機応変に対応します。

それだけで話の面白さがまるで違ってきます。

雑談の中で一番面白くないのは「自慢話」です。よほど自分に好意を持っている人でない限り、あなたの自慢話を楽しく聞く人はいません。

特に「金を儲けた話」「異性にモテた話」は最悪につまらない自慢です。男なら、ここに「喧嘩(けんか)に勝った話」「有名人と知り合いの話」が加わります。喋っている本人は、相手が「ほー」とか「凄い」とか言って聞くものですから、面白がっていると思ってなおも得々と続けますが、大いなる勘違いというべきでしょう。

自慢話を得々とする人も、「人を喜ばせたい」という気持ちを失っているからです。親しくもない人の自慢話を、自分が喜んで聞くかと考えてみればすぐにわかることなのに、自分の話をしたいばかりにそれが見えていないのです。

ですから、この本を手に取られた皆さん、まずそのことをしっかり肝に銘じてもらいたいと思います。

「面白い話」をしたいということは、「人を楽しませたい」という気持ちがあって初めて成り立つものであると。

「スターになりたい」でもかまわない

でも、読者の中には、「自分には『人を楽しませたい』という気持ちはないけど、話術で皆の気持ちを引き付けたい」という人もいるかもしれません。

実は、面白い話ができる人というのは、多かれ少なかれそういう気持ちを持っています。いや、そういう気持ちがなければ、人を引き付ける話なんかできません。というか、そもそも人前で話を披露しようとも思いません。

ですから、そういう気持ちを持っていることを卑下することも恥じることもありません。自分の話で、皆が大喜びする、あるいは尊敬のまなざしで自分を見る――そういう目的のために、話術を磨いている人もいます。お笑いタレントや落語家になる人は、そういう気持ちが人一倍強い人です。

ただ、それでも忘れてはならないのは、根底にはやはり「人を楽しませたい」という気持ちを持っていなければなりません。その気持ちがないのに、ただ話術でスターになりたいと思うだけでは、絶対に面白い話はできません。

自分の感性に自信を持て

人に面白い話をする時にもう一つ大事なことは、自分の感性に自信を持つことです。

今からする話は面白いのだ、という自信を持ってください。この話を聞く人は皆、興味深く聞くはずだ、と思い込んで話すことです。その自信が聞く方をリラックスさせ、安心を与えるのです。

逆に、もしあなたが自信なげに話せば、相手は一所懸命にあなたの話を聞こうとはしないでしょう。そうなると、せっかくの面白い話も決して相手は面白がってくれません。

人はどういうところで感動するのか、どういうところで笑うのか、どういうところでびっくりするのか——こういうことがわかっていないと、面白い話はできません。

でも、どうやったらそういうことが学べるのか。心理学の本でも読まないといけないのか、などと考える必要はありません。ただ、自分のことを考えればいいだけのことです。**自分ならどんな時に、感動し、笑い、びっくりするのかということです。**

もちろん人と自分は違いますが、同じ人間ですから、それほど大きく変わるわけではありません。自分が感動した話は、たいていの人も感動しますし、自分が笑った話は他の人も笑います。性別や年齢が違っても、人間の感性はそれほど大きく変わるものではありません。

その証拠に、文化も歴史も言葉も違うアメリカ人やフランス人が作った映画でも、私たちは笑い、泣き、感動します。

ですから、自分の感性に自信を持ってください。自分が面白いものは他の人が聞いても面白いのだ——こういう自信を常に持って、話をしてください。

ネタをどう仕込むか

座談の名手と呼ばれる人がいます。何人かで喋っている時に、常に周囲を引き付けてやまない人物です。

そういう人は例外なく雑談が上手い。皆が感心する蘊蓄に富んだ話題から、何気ない日常の出来事まで、とにかく話が上手いので、皆が聞き入ってしまうのです。

座談の名手に共通するのは、とにかくものをよく知っていることです。そういう人はよく本を読んでいます。

でも本をまったく読まない人でも座談の名手はいます。そういう人は、他人の話をよく聞いています。人から聞いた話で面白い情報を即座に取り入れる能力の高い人です。**彼らに共通しているのは、話を聞く時に、ただ一方的な聞き役になるのではなく、積極的な聞き役になっていることです。**そういう人は話を聞いている最中にもよく質問します。いってみれば、単に話を聞いているのではなく、学んでいるのです。そうして聞いた（学んだ）話は記憶の中にしっかりと残ります。

よくテレビで見た話をする人がいますが、たいてい薄っぺらくて聞いていられません。なぜなら知識が断片的で、しかもところどころ間違って覚えていることも多く、ちょっと質問すると、「わからない」という答えが返ってくるからです。

テレビは一方的に情報を送り込んでくるメディアです。もちろんそういう情報をうまく処理して、自らの中に再構成できる人もいますが、たいていの人は頭の中に断片的な情報しか残せません。一方的な情報は、受け手に立ち止まって考える時間を与えてくれないからです。本や会話だと、立ち止まって、あるいは後ろに戻ることも可能です。

ですから皆さんがもし「座談の名手」になりたいなら、とにかくネタを沢山仕入れてください。それは本でも会話でもかまいません。まず、それが第一歩です。ただ、そうして仕入れた知識を面白く話すには、次のステップを踏まねばなりません。「面白い情報」を仕入れただけでは、「面白い話」にはならないのです。

それを次に説明しましょう。

「面白さ」の七割以上が話術

「面白い話」をするには知識が大事と書きましたが、それは必要条件であって十分条件ではありません。

雑談力というのは豊富な知識があれば可能だと思っているとすれば、それは大いなる錯覚です。

実は雑談力というのは、七割以上が話術です。情報部分は三割以下と思っていい。もちろん情報部分が核なわけですが、話の上手い人はこれを巧みな話術で聞く人を引き付ける話にしてしまうのです。

落語を思い浮かべてみればわかると思います。名人の語る落語は、客席に笑いが絶えません。人情話なら涙を流す人もいるでしょう。でも入門したての下手くそな噺家（はなしか）が同じネタを演じたとしたらどうでしょう。客席には、あくびどころか居眠りする客さえ出ます。まったく同じテキスト（筋立て）の話をしても、それくらい差が出るのです。つまり「話の面白さ」というのは、実は「内容」ではなく、「話し方」の比重の方が大きいということなのです。

名優が語ると、何気ないセリフさえ感動的に聞こえます。フランスの某俳優がレストランのメニューを感情たっぷり込めて朗読した時、感動して泣きだした聴衆がいたという有名な話があります。さすがにこれは伝説の類いでしょうが、それでもさもありなんと思わせる話です。

さて、この話し方のテクニックはいくつかあります。話し方教室に行けば、マニュアルのようなものを教えてくれますが、それはスポーツでいえば、基本的なフォームのようなものです。

「間を大切にしろ」「話に抑揚をつけろ」「リズムに変化を持たせろ」——などなど、です。しかしそんなものは文字でいわれてもまず身につきません。どれだけ指導書を読んでもスポーツがうまくなるわけがないのと同じです。スポーツは正しいフォームや理論なんか知らなくても、実際にやっていくうちにうまくなる——これはあらゆることに通じますが、雑談も同じです。

ただし、プロになるなら別です。スポーツ競技も楽器演奏も徹底して基本を学んだ上で、本格的に取り組まなくては第一人者になれません。

でも雑談のプロというものはありません。いや、雑談というのは、むしろ型のない個性豊かな方が味があって面白いのです。パーティーや披露宴の会場で、プロの司会者やアナウンサーの喋りは上手いけれども、面白みに欠けると思ったことはありませんか。「立て板に水」のようによどみなく流暢に話し、話の構成も練られているのに、何か「面白み」に欠けると感じることはよくあります。逆に、素人なのに、爆笑を誘う司会者というのがいます。それが無手勝流の面白さなのです。

もっともパーティーや披露宴は、ある程度、形式を重んじる場ですから、あまり個性豊かにやられても困るという面もあります。

でも気の置けない仲間内ならば、形式やマニュアルにしたがって話す理由はどこにもありません。好きに喋ればいいのです。

話が少し脱線しましたが、**話し方がうまくなるコツは、とにかく実践あるのみです。**これに尽きます。「間」とか「抑揚」とか「リズム」とかは、何度も喋っているうちにわかってきます。

面白い話は何度でもできる

せっかく面白い話を仕入れたのに、同じ人には一度しか使えないと思っている人はいませんか。

そういう心配は無用です。面白い話は何度してもいいのです。テレビで喋っている芸人さんのトークでも、「あ、その話、前に聞いた」ということがよくあります。でも、面白い話は二度目でも笑ってしまいます。

身近な人で、面白い話をする人を思い浮かべてください。その人から同じ話を聞いたことがあるはずです。でもその時、「また同じ話か」とは思わなかったでしょう。なぜなら、聞く方はその話の面白さを知っているので、むしろ「また、その話が聞ける」とわくわくすることもあるのです。というのは、その話自体はぼんやりと覚えているけど、細部は忘れている場合が多いからです。これは好きな落語を聞く感じに似ています。

ですから、**同じ話をするのを躊躇する理由はありません。**前以上に話を膨らませて、新たな情報を盛り込んで喋ればいいのです。本当に面白い話は何度聞いても楽しいのです。

ただ、一発ギャグ的な話や、オチにすべてがある話を、二度聞くのは辛いものがあります。そういうびっくり箱みたいな話は、二回目は驚かないからです。

「徹子の部屋」の司会者、黒柳徹子さんの番組には、同じゲストが二度三度と登場することがあります。

黒柳さんはそんな時、自分のお気に入りの話やエピソードをゲストに喋らせます。それらは前回や前々回にゲストが話したものですが、黒柳さんはまったく気にしません。「面白い話は何度しても面白い」という信念を持っているからです。

ですから、皆さんも「この話は前にしたかもしれないから、やめておこう」と考える必要はありません。ただ、聞く方への気配りとして、「これは前にもしたと思うけど――」という一言を入れた方がいいかもしれません。

話がうまくなる一番の方法は、経験を積むこと

話がうまくなる一番の方法は慣れです。

これはあらゆることにいえますが、「経験」というのは何よりの武器です。

たとえば、あなたが誰かに「面白い蘊蓄が詰まった話」を披露したとしましょう。すると、それを聞いた人の反応がわかります。その人が話のどこに興味を持ち、どのエピソードに目を輝かせたのか、あるいは逆にどこで退屈した顔をしたの

か、どこで茶々を入れたのか。こういうことが、次に生かされるのです。

要するに、人が面白がったところをさらに膨らませ、退屈したところを短くしていけば、次に話す時には、もっと面白い話になっていくのです。

作家の司馬遼太郎氏は座談の名手だったといいます。ある編集者が司馬氏の座談のことを書いているのを読んだことがあります。それによると、司馬氏は話している時、常に聞き手の反応を見ているそうです。聞き手が身を乗り出せば、話がどんどん細部にわたり、逆に聞き手の反応が鈍いと、話が早く進むのだそうです。その編集者は別の場所で司馬氏の同じ話を何度か聞いたことがあるそうですが、一度目よりも二度目、二度目よりも三度目の方が面白くなっていたそうです。要するに、修正が加えられていたということです。

元タレントの島田紳助氏も座談の名手でしたが、彼も同じことをしているのを私は何度も見ています。彼の場合はローカル番組で練習するのです（彼自身は練習のつもりはなかったのかもしれませんが）。私が担当していた某番組では、紳助氏は必ず本編が始まる前に、最近あった面白い話を、出演者やお客さんに向けて延々と独演会みたいに喋りまくるのです。その番組は三本のＶＴＲを見ながら、出演者たちがクイズに答えていくという番組なのですが、一本のＶＴＲも流れないのに、一時間くらい紳助氏の話が続く時もありました。

もちろん爆笑するネタもあれば、そうでもないネタもあります。ところが、この頭の喋りは放送時間の制約で、ほとんど使えません。紳助氏はそのことを承知していながら、毎回三十分前後喋るのです。それはなぜか――紳助氏は話をしながら、どのネタが受けてどのネタが受けなかったかを見ていたのです。というのは、この時に聞いたネタと同じネタを、全国ネットで喋っているのを何度も見たことがあったからです。そしてそれは最初に聞いた時よりもコンパクトになり、より洗練されていました。

こんな風に書くと、ローカル番組のスタジオをネタの実験に使っているように見えますが、紳助氏のトークは面白く、スタッフもお客さんもいつも大いに喜んでいたので、これは許されることでしょう。もっとも結果的に長い収録になるので、他の出演者たちがどう思っていたのかはわかりません。

また落語家も同じネタを何度も高座にかけているうちに上達していきます。どこで間を取ればいいか、どこで盛り上げるか、話のテンポをどうすればいいかなど、何度も話すうちにどんどんうまくなるのです。これは話芸に限りません。ピアニスト、バレリーナ、大道芸など、パフォーマンスのすべては、同じ芸を何度も繰り返して、自家薬籠中のものにして、人前で披露しているのです。要するにプロでもそうなのです。

この本をお読みになっている皆さんのほとんどは、話芸で飯を食っている人ではないと思います。ですから、一度目でうまく喋れなくても気にする必要はまったくありません。二度三度と喋るうちに、うまくなっていきます。

それでも自信がないという人は、最初は兄弟や親や配偶者など親しい人相手に実験すればいいのです。それで受けたら、次は気の置けない友人、そして慣れてきたら、ビジネスでの取引先や、学校で披露してください。

話し上手は聞き上手

もしかして、この本を手に取っておられる男性の中には、女性にモテるために上手な話ができる男になりたいと思われている方がいらっしゃるかもしれません。

そういう方に申し上げたいことがあります。実は話し上手の男性は必ずしもモテる男性とは限りません。というか話し上手であることは、モテることに関してはあまり効果はありません。たしかに「面白い人」「なんでもよく知っている人」とは思われ、時に尊敬もされるかもしれませんが、異性としても興味を持たれるかというと話は別だからです。

女性にモテるには、話し上手よりもむしろ聞き上手になることです。

こんな言い方をすれば怒られるかもしれませんが、女性は自分の話を聞いてもらいたい生き物です。会社勤めの方の中には、家に帰ると奥様から、その日にあったいろいろな出来事を逐一聞かされる人も少なくないと思います。この時、適当に聞いたり、いい加減な調子で相槌（あいづち）を打ったりすると、たいてい奥様に怒られます。でも、一所懸命にはとても聞けないくらい面白くない話なのもたしかです。

少し脱線しましたが、**逆に女性が話をしているのを、一所懸命に聞いてあげれば、すごく喜ばれるのです。**

「この人は私の言うことをきちんと聞いてくれる」

「この人は私のことを理解してくれている」

女性にこう思ってもらえれば、あなたの好感度は飛躍的にアップします。

あなたが頑張って面白い話を披露しても、それほど好感度は上がりませんが、女性の話に真摯(しんし)に耳を傾けるだけで、その何倍もの効果があるのです。

でも、実はこれは相手が女性に限る話ではありません。

人は男女問わず自分の話を聞いてもらいたいという気持ちを持っています。人間というのは「話したい動物」なのです。これはどんなに口下手な人も無口な人も同じです。無口な人の多くは、自分の話を他人は面白がらないと思っています。もちろん中には根っから無口な人もいますが、自分は話し下手と思っているから話さないというタイプが少なくないのです。ですから、そんな人の話をうまく引き出すことができれば、すごく喜ばれるのです。

聞き上手の人は、人の話を引き出すのがとても上手なのです。話が下手な人はしばしば話を構成するための大事な部分が欠けたりします。そんな時、聞き上手な人は、そこをうまく質問して、語らせます。あるいは「ということは、○○ということかな」というふうに質問風にして補足したりもします。また相槌を打つタイミングがうまく、リアクションも大きく取ります。ただし、リアクションは単調ではいけません。きちんと変化をつけることが重要です。そして時には大いに感心したり驚いたりします。そんなふうに細かいテクニックを使えば、相手は気持ちがよくなってどんどん話してくれます。

すると人は「この人と話していると、とても話しやすい」と思います。この感情はやがて、「この人といると、とても気持ちいい」に変わります。女性が男性にこういう気持ちを持つと、恋に発展する可能性は極めて高いといえます。

もちろん同性同士でも、「この人といると気持ちいい」と思わせれば、人間関係がうまくいきます。ですから、本当は話し上手な人間になるよりも聞き上手な人間になった方が、ずっと得なのです。

ただ面白いことは、話し上手な人は人の話を聞くのも上手な人が多いのです。というのは、これは表裏一体のものだからです。

聞き上手な人は人の話を聞きながら、それを上手な質問やリアクションで、「面白い話」に仕立ててしまいます。たとえばタモリ氏や明石家さんま氏や桂文枝氏などはその典型です。彼らが司会をしている番組に出てくるゲストや素人たちは必ずしもトークの達人ではありません。ところが、彼らが聞き手に回ると、ゲストたちの話がすごく面白くなるのです。

これは実は、聞き手が話を作っている部分がかなりあるのです。つまり聞き手が、「この話の面白さはどこにあるのか」ということを知っているのです。話の急所、クライマックス、一番面白い部分などがわかっているのです。そして自らは話さなくても、それを引き出して話させるのです。極端な言い方をすれば、話を組み立てているのは実は聞き手ということがあるのです。ですから、ゲストが彼らに話した同じ話を、よそで喋れば全然面白くないということは普通にあります。

つまり聞き上手になるには、実は話し上手でなければ、難しいのです。でも、面白いことに人の話を聞く訓練を積むと、話し上手にもなれるのです。聞き手と話し手という違いはあっても、そこで話されている「話」は同じものだからです。

また聞き役になることによって、面白い話というものはどういうものかが見えてきます。

さあ、皆さん、どんどん上手な聞き役になって、そこで得たものを自分の話に生かそうではありませんか。

話は生き物――私が講演で行なっていること

小説や映画は完成品を読者や観客が楽しみます。でも人前で披露するトークは違います。これはライブなので、その時々によってリズムもテンポも変わります。いってみればトークは生き物です。敢えていえば決まったストーリー展開もないのです。話す相手によって、人数によって、話している内容によって、またその場の雰囲気によって、まったく異なります。

私は年間に四〇回ほど講演に呼ばれて、大勢の前で話します。聴衆の数は、少ない時は三〇〇人くらい、多い時は二〇〇〇人くらいです。私は講演ではレジュメやメモなどはまったく用意しません。パワーポイントやビデオなども使いません。一時間半、凄まじい勢いで喋り続けます。

話す内容は頭の中に入っていますが、それでも毎回、講演では内容が変わります。それは聴衆の雰囲気が違うからです。年齢層や男女比率、それに当日、どんな話を望んでいるかは毎回違います。もちろん、細かいことをいえば、一人ひとりが皆違うので、万人に受ける話というのはできないのですが。私は冒頭の挨拶で、その日の聴衆のだいたいの雰囲気を見ます。まず聴衆が重いか軽いか。「重い」というのは反応がやや遅いということです。反対に「軽い」というのは、反応が速いということです。私は今日の聴衆は重いと見ると、少しペースを緩めます。同時に、あまり脱線しないようにします。

ほぼ一方的に喋る講演でも、それくらい変化するのです。まして少人数で、ツッコミや質問がどんどん入ってくるトークの場では、本当に臨機応変に話を組み立てていかなければなりません。流れによっては、用意していたエピソードを飛ばすことも必要です。また話の前後を入れ替えるという荒技を使うこともあります。逆にその場で思いついた余談を入れることによって効果が増す場合もあります。

これはもうケースバイケースなので、マニュアルはありません。**要するに基本は、「聞き手が退屈したら、話をスピードアップ」して、「聞き手がのめり込んでくれれば、話を膨らませてもいい」ということです。**これは肌で覚えていくしかありません。何度も経験して摑むものです。大事なことは、喋りながらも常に聞き手の反応に心を配っていることです。

とっておきの練習法──映画や小説の話をする

面白い話をする場合に重要なことは、その話の骨組みを自分で理解していることです。まず大きな筋というか、柱をしっかりと把握していなければなりません。

とっておきの練習法があります。それはあなたが感動した映画や小説や漫画のストーリーを他人に聞かせることです。これは簡単そうで、意外に難しいものです。

たとえば二時間くらいの映画を人に話す場合、当たり前ですが二時間も時間をかけることはできません。面白く話す時間としては、せいぜい数分くらいでしょう。つまり二時間の映画を数分にまとめて、聞いた人に「どんな映画か」わかったような気にさせなければならないのです。そのためにはその映画の全体像をがっちりと摑んでいなくてはなりません。これは家でいえば大黒柱です。船でいえばキール(竜骨)にあたります。敢えて乱暴な譬(たと)えをすれば、フルコースの中のメインディッシュみたいなものです。話し手はまずそこを押さえた上で、そこに主人公や脇役のキャラクターをくっつけていきます。

実際に映画を見ていると、あなたの印象に残ったシーンや感動した場面はいくらでもあるでしょう。でも人に話をする場合、それらに引っ張られてはいけません。それはあくまで全体の中の一部です。さきほどの家の譬えでいえば、洒落た出窓や素敵なキッチンです。フルコースでいえば、美味しい前菜やデザートです。それらは家や料理の印象を変えますが、メインではありません。出窓やキッチンの美しさをいかに語っても、あるいは前菜やデザートの美味しさをいかに語っても、その家がどういう家か、どういう料理かは伝わりません。

皆さんも経験があるでしょう。友人が見た映画を熱く語っているのに、その映画がどんな映画かまったく伝わってこないということが。そういう人は全体を把握していないのです。

たとえば黒澤明監督の『七人の侍』という名作がありますが、この話をこんなふうに語ればどうでしょう。

「ある日、野武士の群れが貧しい村を見つけます。麦の収穫時にこの村を襲うと言うのを聞いた百姓たちは絶望に沈みます。襲われれば麦も女性も奪われるからです。百姓たちはどうしたらいいのか皆で相談しますが、村長が『侍を雇う』と言います。『腹が減った侍を雇って村を守ってもらう』と。

百姓たちは早速、里に下りて、宿場町で侍を探します。しかし、報酬はなく、ただ、飯が食えるというだけで、百姓のために命を懸けて野武士と戦う侍はなかなかいません。中には馬鹿にされたと怒って百姓を足蹴にする侍もいます。

そんな中、百姓たちは不思議なものを見ます。それは強盗が子供を人質に取り、一軒家に立て籠もっている事件でした。そこに一人の初老の武士が頭を剃り、坊主の衣装を着て家に近づきます。そして一瞬の隙を突き、強盗を斬り殺します。

それを見た百姓たちはその侍に、村を助けてほしいと頼みます。しかし侍は『戦はもうこりごりだ』と言って断ります――」

おそらく、こんなふうに話していたら、聞き手は退屈してあくびが出るでしょう。

話の上手な人ならこう話すでしょう。

「この映画は、戦国時代に貧しい百姓のために立ち上がった無名の七人の侍たちの物語です。その戦は、たとえ勝ったところで、何の恩賞ももらえず、立身出世にもなりません。にもかかわらず、七人の侍たちは百姓のために命を懸けて戦います。

しかし相手は野武士とはいえもとは武士の集団です。凄絶な戦いが何度も繰り広げられ、侍たちも次々に斃(たお)れていきます。そしてついに激しい雨の中、最後の決戦の時がやってきます――」

どうでしょう。半分以下の言葉で、全体像がくっきりとしますね。これが骨格部分です。**まず、この映画が何を描いた物語なのかを、端的に表現するのです。**そこに主要なキャラクターを付け加えていけばいいのです。そして印象的なシーンを加えていけばいいのです。

たとえば、私ならこう語ります。

「七人を率いるのは、島田勘兵衛という初老の侍です。知力と剛毅(ごうき)を兼ね備えた古武士ですが、生涯負け戦ばかりだった不運の男です。そんな彼の人柄に魅せられて、次々と魅力的な侍たちが集まってきます。この前半部分がわくわくするくらい面白い。

私が好きなシーンは、偶然、勘兵衛が宿場町で昔の部下であった七郎次と再会するところです。七郎次は武士をやめて物売りになっていました。勘兵衛が『もう戦は嫌か』と訊くと、七郎次は何も答えず苦笑いします。次に勘兵衛は『金にも出世にもならん難しい戦があるのだが、ついてくるか』と訊きます。すると七郎次は躊躇なく『はい』と答えます。私はこのシーンを見るたびに泣きそうになります。もう戦はこりごりと思って武士もやめていた男が、『ついてくるか』と言われ、迷うことなく、『はい』と言う。いかに七郎次が勘兵衛に心酔していたのかがわかります。そしてこのシーンだけで勘兵衛の凄さが観客に伝わります。

このシーンはこのあともいいのです。『今度こそ死ぬかもしれんぞ』と言う勘兵衛に、七郎次は何も言わずににやりと笑います。ここも痺(しび)れるところです。あなたとならばたとえ死んでもかまわない、と思っているのがわかるからです。

この映画には好きなシーンが数えきれないほどあるのですが、映画の真ん中あたりで、雨の日、一人の侍が旗を作るシーンも私の大好きな場面です。『何を作っているんだ』と訊かれた彼は、こう答えます。

『戦の時には、何かこう、高く翻(ひるがえ)るものがないとさびしい』

若き日、私はこの場面を見て、『自分には頭上に高く掲げているものがあるだろうか』と思い、自分もまたそういうものを持たねばならない、と思いました。

この映画の一番のキーパーソンは菊千代という侍です。彼は本当は侍ではなく、子供の頃に武士に村を焼かれ親を殺された百姓です。武士に憧れ、同時に誰よりも武士を憎んでいます。この菊千代という存在がこの映画を深く重いものにしています」

――とまあ、こんな具合でしょうか。

少し長くなりましたが、映画や小説を人に語るのは、話をする何よりの練習になります。それは冒頭にも書いたように、物語の全体像を摑む訓練になるからです。長い映画や小説を面白く話すには、頭の中でそれらの物語を再構築していなければできません。要するに、いったん物語を解体して、一本の筋を見つけ、そこに枝葉をくっつけていく作業です。

この訓練はどんな話をする時にも役に立ちます。是非、実践してみてください。

第二章

こんな話に人は夢中になる

意外なオチは記憶に残る

「板垣死すとも自由は死せず」とは言ってない？

教養ある蘊蓄というものは「ほー」と感心はされても、たいていそれだけで終わります。そこから話題が広がることはあまりありません。

ですが、その蘊蓄に意外な「オチ」があると、笑いが起こることもあり、場の空気がなごみ、話題が広がることがあります。

たとえば文豪ゲーテの最期の言葉は「もっと光を！」というものです。大傑作『ファウスト』を書いた文豪らしい深い言葉で、かつ哲学的です。

でも話がこれだけだと、「ふーん、凄いね」で終わります。ところが、実はこのゲーテの言葉には続きがあったのです。それは「よろい戸を開けてくれ」というものでした。要するにゲーテは、部屋が暗いので明るくしてくれと言っただけだったのです。それを後世の人が後半部分をカットして、「もっと光を！」という言葉だけにしたものですから、名言として世に残ったわけです。

死に臨む名言ということで有名なのは、自由民権運動で知られる板垣退助の「板垣死すとも自由は死せず」です。板垣退助といっても最近の人はあまり知らないかもしれませんね。私たちの世代は百円札の肖像に板垣退助が使われていたので、顔と名前だけは馴染(なじ)みの深いものでした。

板垣はある日、岐阜で遊説中にテロリストに襲われ、左胸を刺されます。この時、板垣は駆け寄った友人に、「我死するとも自由は死せん」と言い、これが後に前述の言葉になりました。

多くの人は、板垣はここで死んだと誤解していますが、実はこの時、板垣は軽傷で命には別状がありませんでした。

またこの言葉は板垣が襲撃を受けた時に叫んだという説もありますが、板垣自身は後に、「あっと思うばかりで声も出なかった」と語っています。また一説によると、別の人間が叫んだ言葉を板垣が言ったことにしたという話も残っています。調べてみると、いろいろと面白い情報が出てきますが、私が一番面白かったのは、実はこの時板垣が言った言葉は、「痛い！　医者を呼んでくれ」と叫んだというものです。

人間、なかなか咄嗟に名言を発することはできないようです。臨終の言葉にしても、名言や素晴らしい辞世の句というものは、やはりじっくりと考えなければいいものが出てこないのかもしれません。

こういう話をすると、たいてい皆が「自分もこういう話を聞いたことがある」と、オチのある話をするものです。**本当に面白い話というのは、一方的な話で終わるのではなく、その場にいる人たちの間で次々にいろいろな話が広がるものだと思っています。**また別の話が出なくても、その話についていろいろと意見を言えるという間口の広さがあると思います。

ガガーリンの小噺

名言の話が出たついでにもう一つご紹介しましょう。

世に知られる有名な名言で、私が笑ったのは、人類が初めて月に着陸したアポロ11号のニール・アームストロング船長の言葉です。彼は人類で初めて月に降り立った時、こう言いました。

「この一歩は人間にとっては小さい一歩だが、人類にとっては大きな一歩だ」

初めてこの言葉を聞いた時、私は中学生だったので、「さすが、いいことを言うなあ」と感心したのですが、後に大きくなってこの言葉を思い出すと、アームストロング船長は「月面着陸の際には、この言葉を言ってやろう」と、前もってじっくりと考えていたのだなと思いました。とても咄嗟に出てくる言葉とは思えないからです。作家の立場から言わせていただくと、新聞記者が見出しに使うような定型の文章に近く、はっきり言ってしまえば平凡な言葉です。

そんな綺麗ごとの修辞よりも、初めて月に足を着けた時の生の感想の方が、ずっと聞きたかった言葉です。

アームストロング船長とは真逆の言葉を発したのは、人類で初めて宇宙空間に飛び出たソ連のユーリイ・ガガーリンです。ガガーリンが地球に戻ってきて発した言葉こそ、まさしく名言と言えるものです。彼はこう言いました。

「地球は青かった」

おそらくこれを聞いた人々は心から驚き、感動したと思います。

それまで誰も地球が青いなどということを知らなかったのです。ただ、正確には彼は「地球は青かった」という言葉は言っていません。実際にはかなり長い文章を語っていて、その中の一部に、「地球は優しく光る淡い水色で、暗黒空間との境目はとてもなめらかな曲線で美しい」という言葉があり、これを大胆に訳されたのが「地球は青かった」という言葉です。でも、私としてはその訳は許容範囲です。

ただ、この時ガガーリンはこの言葉のあとに、もう一つとても有名な言葉を発したと言われています。それは、

「どこを見渡しても神はいなかった」

というものです。

これは一部でかなり知られていて、たまにこの話を得意げに語る人がいます。でも実はこれは都市伝説です。ガガーリンの発言の中には、こんな言葉はどこにもありません。

では、なぜこの言葉が独り歩きしたのでしょう。これはガガーリン自身が気に入ってよく喋っていた小噺(こばなし)のせいだと言われています。それはこういうものです。

宇宙から戻ったガガーリンの帰還を祝うパーティーで、ロシア正教の総主教が尋

ねました。

「宇宙を飛んでいる時、神の姿が見えたか」

「見えませんでした」

「息子よ、神の姿が見えなかったことは誰にも言わないように」

次にフルシチョフ（当時のソ連の書記長）がガガーリンに尋ねました。

「宇宙を飛んでいる時、神の姿が見えたか」

「見えました」

「同志よ、神の姿を見たことは誰にも言わないように」

（レーニン主義では宗教は否定されています）


ちなみにガガーリンは三十四歳の若さで謎の死を遂げています。この死についてもいろいろな説があり、興味のある方は一度調べてみてください。当時のソ連の不気味な政治体制も見えてきます。それだけで三十分くらいは喋れるネタが詰まっています。

私の好きな逸話は、フルシチョフがガガーリンに勲章を授けようとした時の話です。フルシチョフは彼の軍服に勲章を付けようとしますが、その生地が固すぎてついに付けることができず、結局、手渡したのです。アメリカに先駆けて、宇宙空間に人間を送り込むほど凄い科学技術を持ちながら、柔らかい布を作ることができなかったという当時のソ連のバランスの悪さを表したエピソードです。もっともソ連の宇宙技術は、第二次世界大戦後に、ドイツから科学者や技術者を誘拐まがいのやり方で大量に連れてきて生まれたものともいわれています（アメリカも同様のことをしていたようです）。

アメリカは「一二〇億ドル」のスペースペン、ソ連は……

宇宙飛行に関しては、もう一つ面白い話があります。

アメリカのNASAは、宇宙飛行士を最初に宇宙に送り込んだ時、無重力状態ではボールペンが書けないことを発見しました。これではボールペンを持っていっても役に立ちません。NASAの科学者たちはこのため、十年の歳月と一二〇億ドルの開発費をかけて研究を重ねました。そしてついに、無重力でも上下逆にしても水の中でも氷点下でも摂氏三〇〇度でも、またどんな表面にでも書けるボールペンを開発しました。一方、ソ連は鉛筆を使い、一ルーブルも無駄な金を使いませんでした。

笑える話ですが、これも正確には事実ではありません。アポロ計画の予算は二五〇億ドルといわれていますが、ボールペンの開発にその半分を使ったというのはあまりにもナンセンスです。

ただ、アメリカが無重力空間でも使えるボールペンを開発したのは本当です。なぜなら鉛筆は芯が折れたりすると、いや折れなくても、細かい炭素の欠片が宇宙船の中に漂うからです。すると宇宙飛行士の目の中に入ったりする危険や、電子機器に対する影響もあります。アメリカはそこまで考えて、ボールペン「スペースペン」を開発したのです。

もっともこれを開発したのは民間会社で、NASAは関知していません。ですが、アポロ計画の時には「スペースペン」を持っていきました。今はロシアも宇宙船ではこのペンを使っているということです。

もう一つ脱線ついでにいいますと、宇宙船というのは狭いスペースでも非常に広く使えるということです。というのは、普通の部屋ですと、人は床を歩いて生活します。ところが宇宙は上下のない世界です。天井や壁も床と同じように使えるのです。それで地上ならとても何人も生活できないようなスペースでも、十分に広く使いこなせるのです。たしかに三六〇度すべての天井と壁を床として使えれば、小さな部屋でも広く使えます。

今、敢えて脱線して話したのは、**面白い雑談というのは、ワンテーマの講義ではない**ということを皆さんに伝えたかったからです。

面白いエピソードは、連鎖反応して新しい話題に移っていきます。またそういうものでなければ、本当に面白い話とは言えません。

ですから、この章の冒頭で書いたように、いかに教養あふれるものでも単なる短い蘊蓄で終わるような話は、何も広がらないし、聞いたすぐあとに忘れてしまいます。私たちが高校の授業で習った夥(おびただ)しいことをほとんど忘れてしまったのも同じです。

そこにくすっと笑えるエピソード、思わずツッコミを入れたくなるような余談があると、話が一気に身近なものとなって、面白さが倍増するのです。

スポーツ選手の凄さを伝える時のコツ

超人的な大投手　サチェル・ペイジ

多くの人が好きな話題にスポーツの話があります。

特に男性は野球やサッカー、ボクシングの話が大好きです。居酒屋でおじさんたちが盛り上がっている時、その話題はこれらのスポーツであることが多いです。

そういう時に、自分の話で皆の注目を集めたいなら、皆が知っている選手の話はやめた方が無難です。そういう選手のエピソードは、多くの人が知っています。それどころか、たいてい、あなた以上に知っている人がいるものです。もちろん、そういう話を聞くのは楽しいし、聞き役に回って楽しむのも大いにありです。

でも、たまには皆を自分の話で唸らせたい時もあるでしょう。いくつかとっておきの話を仕込んでおくのも悪くありません。

多くの人が大いに興味を持つのが、超人的なスーパースターの話です。どんなスポーツ界にも知られざる超人がいます。彼らの物語はそれだけで講談以上に面白いものがあります。ただ、**ここで大事なことは、彼らの凄さを伝える前に、聞き手に前提となる知識を十分与えておくことです。**彼らの周りのレベルや当時の記録などについて、焦らずじっくりと語るのです。

たとえば、かつて鳥人と呼ばれた棒高跳びのブブカという選手がいましたが、彼の六メートル一五センチという記録の凄さは、棒高跳びという競技に詳しくない人にはまったく伝わりません。ちなみに棒高跳びのオリンピック記録は二〇一六年リオ・デ・ジャネイロ大会の六メートル〇三センチで、この時、オリンピックで初めて六メートルを越えました。ブブカはその三十一年も前の一九八五年に六メートルを越えています。

その競技についてある程度わかっている人にこそ伝わるという話があります。たとえば、野球が大好きな人なら、サチェル・ペイジの話をすると、多くの人は興味津々に聞くでしょう。

サチェル・ペイジは黒人リーグ（ニグロリーグ）の大エースです。でも、ここでサチェル・ペイジの凄さをいきなり語ってはいけません。まず当時の黒人リーグの話をしないと伝わらないのです。普通の野球好きは、黒人リーグのことなどまず知らないからです。

かつてアメリカは黒人差別が激しく、黒人はメジャーリーグでプレーできませんでした。それで黒人たちは黒人だけの野球リーグを作ってプレーしていたのです。そして毎年シーズンが終わると、メジャーリーグ選抜チームと黒人リーグ選抜チームが試合をしました。人種間オールスターゲームのようなものでしょうか。その試合で、メジャーリーグは黒人リーグになかなか勝てなかったのです。特にペイジが投げた試合では、メジャーリーグが完敗しました。一九三〇年には、メジャーリーグ選抜チームに対して二二の三振を奪って完封勝利を記録しています。

一九四〇年代にメジャーリーグのクリーブランド・インディアンスにとてつもない速球投手がいました。名前はボブ・フェラー。あまりの速さに付けられたあだ名が「火の玉投手」です。一九四六年に米軍が協力して球速測定したところ、平均で時速一〇七・九マイル（約一七四キロ！）を記録したといいます。現在、日本最速の佐々木朗希投手（千葉ロッテ）が時速一六四キロですから、フェラーの凄さがわかります。

そのボブ・フェラーがペイジと投げ合った時の印象を語っています。

「ペイジの速球に比べたら、俺の球はチェンジアップ（緩い変化球）だ」

どうですか？　ペイジがどれくらいの記録を残したか、早く知りたくなってきませんか。でも、もう少しじらしましょう。

黒人リーグから初めてメジャーリーグに入った選手はジャッキー・ロビンソンです。彼は入団していきなり新人王を獲得し、以降数々のタイトルを獲り、殿堂入りした名選手です。ところがロビンソンは黒人リーグでは最高の選手ではなかったのです。ちなみに野茂英雄やイチローはメジャーリーグでいきなり大活躍しましたが、この二人は日本球界でも最多勝や首位打者を何度も獲っているトップクラスの選手でした。また、ロビンソンのあとにメジャーリーグに入ったロイ・キャンパネラは、メジャーリーグで三度も最優秀選手になった歴史的な名キャッチャーですが、黒人リーグ時代、リーグ最高のキャッチャー、ジョシュ・ギブソンと同じチームにいた時はキャッチャーではなくサードを守っていたのです。いかに黒人リーグのレベルが高かったかを理解してもらったところで、いよいよペイジの大記録の話をしましょう。

メジャーリーグの通算最多勝ち星はサイ・ヤングの五一一勝です。ただし、これはおもに一八〇〇年代の記録です。日本の最多記録は金田正一の四〇〇勝。両方とも、もはやアンタッチャブルともいえる超大記録です。今後これを破る投手は永久に出ないでしょう。

ところがペイジの記録の前では二人の数字も霞（かす）んでしまいます。ペイジの通算勝利数は約二〇〇〇勝といわれています。はっきりした数字がわからないのは、記録が残っていない年もあるからです。一九三四年には一〇四勝したという記録が残っているそうです。完全試合とノーヒットノーラン試合も数十試合あると言われています。

奪三振のメジャーリーグ記録はノーラン・ライアンの五七一四、日本はこれも金田正一の四四九〇。二つとも不滅の大記録ですが、ペイジの奪三振は二〇〇〇〇といわれています。何かもうまったく別次元の話です。

でも、これはペイジの話の序章に過ぎません。ペイジの凄さは記録よりもエピソードにあります。

彼は生まれながらのショーマンシップの持ち主で、試合だけでなく、投球練習でも観客を楽しませました。キャッチャーの前にチューインガムの包み紙を置き、それをホームベースに見立てて、そこに速球を投げ込むのです。そう、彼は火の玉投手も帽子を脱ぐほどの速球に加えて、針の穴を通すほどのコントロールの持ち主だったのです。また試合前にこんなアトラクションもしたそうです。釘を半分ほど打ち込んだ板をホームベース上に立て、マウンドからボールを投げて、釘を板に完全に打ち込んだというのです。こんな投手からヒットを打つなんて不可能です。

試合ではもっと派手なことをやっています。三人のバッターをわざと四球で歩かせて満塁にし、その上で、キャッチャーを除く全野手をグラウンドから下げて、バッターと勝負するのです。バッターがちょこんとでもボールに当てれば、ランニングホームランです。

しかしペイジは三人のバッターを三球三振に切って取ったといいます。ペイジ自身は晩年、こう語っています。

「調子の悪い時は、一一球くらい投げたかな」

ペイジがメジャーリーグに入った時は、四十二歳の時でした。しかし実際はもっと上だったといわれています。実は彼は年齢がはっきりわからなかったのです。

　往年の速球はなくなっていましたが、それでもコントロールと投球術でメジャーリーグの選手を打ちとっています。彼が最後に投げたのは六十歳を超えていたとも言われています。

サチェル・ペイジ（写真提供：ユニフォトプレス）

　もしこういう話を野球好きの仲間にすれば、おそらく凄く盛り上がります。メジャーリーグに詳しい人が同時代の名選手の話を出して、話が広がるかもしれません。

　そして誰かがこう聞くかもしれません。

「黒人リーグ選抜チームとメジャーリーグ選抜チームの試合で、ベーブ・ルースとの対決はなかったのか」と。

活躍時期が少しずれているとはいえ、両者の現役時代は重なっています。二人とも大スターです。当然、世紀の対決が何度かあったのではないかと思われます。

あなたはここで衝撃的な答えを言って皆を驚かせます。

「ペイジとルースの対決は、一度もなかった」

そうなのです。実は二人の対決は一度もないのです。

おそらくこれは偶然ではないでしょう。白人の大スター、ベーブ・ルースが黒人ピッチャーに手玉に取られたとなれば、白人たちは耐えられなかったでしょう。ルースが臆病風に吹かれたとは思いたくありません。おそらく関係者たちがペイジの登板する試合にルースを出場させなかったのでしょう。ただ、「ベンチからペイジの投球を見ていたベーブ・ルースの顔が青ざめていった」という証言が複数残っています。ルースと対戦できなかったことを、ペイジも生涯残念に思っていました。

今、私が語ったペイジの話は彼の驚くべき記録やエピソードのごく一部です。興味を持った方は、ペイジについて書かれた本が何冊かありますので、読んでみてください。あなたの持ちネタの一つになるかもしれません。

三階級同時制覇、ヘンリー・アームストロング

他のスポーツにも、一般には知られざる超人はいくらでもいます。

たとえばボクシングの世界で、かつて三階級同時制覇という化け物ボクサーがいました。その名はヘンリー・アームストロング。

今でこそ三階級制覇というボクサーは掃いて捨てるほどいますが、それは現代は階級が以前よりかなり細かく分かれるようになったからです。一九五〇年代までは八階級しかなかったのが、今は一七階級もあります。またチャンピオン認定団体も主要なもので四つもあります。それに加えて暫定(ざんてい)チャンピオンや、スーパーチャンピオンなどもあります。かつては世界に八人しかいなかったチャンピオンが、今は常時七〇人前後もいるのです。チャンピオン大安売りの時代になったわけです。

アームストロングが活躍した一九三〇年代はチャンピオンになるのは恐ろしく難しいものでした。一つの階級に強豪が犇(ひし)めきあい、しかもチャンピオンは一人。階級の幅は広く、一階級上げるのも下げるのも大変な時代でした。ですから当時は二階級チャンピオンなども滅多に生まれませんでした。そんな時代にアームストロン

グは三階級を同時に制覇したのです。

彼が奪ったタイトルはフェザー級（約五七キロ）、ライト級（約六一キロ）、ウエルター級（約六六キロ）です。

彼は一九三七年にまずフェザー級のタイトルを獲ります。ちなみにこの年、彼は二七戦全勝二六ＫＯ勝ちです。当時は今みたいにレフェリーストップが早くなく、完全にノックアウトするまでやらせましたから、このＫＯ率の高さは異常です。彼は一分間の鼓動が二九という異常な心肺機能の持ち主で、全ラウンドパンチを出し続けることができました。付けられたあだ名は「永久機関」です。

アームストロングは次に一階級上のライト級を目指しますが、チャンピオンは対戦を避けます。仕方ないので彼はさらに一階級上げてウエルター級のチャンピオンに挑戦します。この時、計量でウエルター級の体重がなかった彼は水をがぶ飲みして秤に乗りました。当時は前日計量ではなく試合当日計量だったので、彼は腹をたぷたぷにしてリングに上がったのです。そして王座を奪った彼は、一階級下げてライト級王座に挑み、これを獲ります。

十ヶ月足らずで、三階級同時制覇という離れ業を演じたのです。これは今なら五階級に匹敵します。

実はアームストロングは後に一階級上のミドル級王座にも挑みますが、これは惜しくも引き分けに終わりました。もし、これを獲っていれば、まさしく前人未到の大偉業です。いや、全八階級のうち四階級制覇なんて、マンガでも描けないものでしょう。

ヘンリー・アームストロング
（写真提供：ユニフォトプレス）

アームストロングは大いに金を稼ぎ、大いに使い、結局、引退後は一文無しになり、貧しい暮らしをしていましたが、晩年、強盗に遭い、殴られて金を奪われました。強盗は奪った身分証明書から高名なボクサーだということを知り、気を失った彼を家の前まで運んで立ち去りました。

アームストロングは取材に来た記者に、「あんな凄いパンチをもらったのは現役時代にもなかった。あの強盗は凄いパンチの持ち主だ」と語ったそうです。なんとなくユーモラスであり、悲しいセリフです。

おそらく現役時代なら、強盗は一秒でノックアウトされていたでしょう。

ところでこの節の冒頭でブブカの話をしましたが、ブブカの記録で驚くのは世界記録を三五回も更新していることです。これは常識では考えられません。その理由は、世界記録更新の賞金をもらうために一センチずつ記録を更新していったからだといわれています。つまりほとんどの大会で余力を残して勝っていたのです。現在ブブカの世界記録は破られていますが、もしブブカが全盛期に本気で跳んでいたら、何十年も破られない前人未到の大記録が生まれていただろうといわれています。

金の話は誰もが好き

お金にまつわる話は誰でも興味津々です。

私たちは金のために働き、金のことで喜び、金のことで泣きます。世の中は金がすべてではありませんが、人生において金の占める割合が滅茶苦茶大きいのはたしかです。世間を騒がす忌むべき犯罪もその大半は金が原因です。

そんな金にからむ話が、多くの人の関心を呼ぶのは当たり前ですね。

でも現在世界最高の金持ちの一人と言われるビル・ゲイツ氏やアラブの大富豪たちの話は意外に盛り上がりません。金の額が凄すぎてピンとこないのもありますが、同時代の話なので生々しすぎて楽しめないということもあるのかもしれません。それにあまりにも有名ということもあります。たいていの人がビル・ゲイツ氏やアラブの大富豪たちの話は耳にタコができるくらい聞いています。

やはり面白い話となれば、あまり知られていない人物が盛り上がるようです。ただ、超大金持ちの金遣いの荒さ、浪費の豪快さというのは、よほどのものでなければ驚きません。**むしろ金持ちのケチケチ人生の方が意外性があって面白い**ものがあります。

私がたまにするのは、ヘティ・グリーンの話です。

ヘティ・グリーンは歴史上の有名人でもなければ、偉人伝に名前が載る人物でもありません。もの凄い金持ちではありますが、金持ち史上ランキングでも、上位に入る人物でもありません。

ただ、その金への執念の凄さは世界史上に残る一人です。彼女に付けられたあだ名は、なんと「ウォール街の魔女」というものです。

ヘティ・グリーンは、十九世紀から二十世紀初頭にかけて、女性でありながら個人としてはおそらく世界トップクラスの金持ちになった人物です。大企業や事業を広く展開したわけではありません。彼女は持ち前の勘とドケチ根性で仕手戦や先物取引を駆使し、たった一人で二億ドルを貯めた大相場師なのです。

しかしこれだけでは魔女とは呼ばれません。彼女が「ウォール街の魔女」というあだ名を付けられるに至ったいくつかのエピソードを紹介しましょう。

ヘティは三十歳頃から八十一歳で亡くなるまで、五十年間たった一着の黒いドレスを着続けました。彼女がウォール街を歩くと常に異臭がしたそうです。なぜそんなことをするのかというと、答えは一つ。服を買う金がもったいないからです。私も同じ服を着たきりということがよくありますが、それでも何着かは持っています。五十年間一着のドレスで生活したというのは凄いとしかいいようがありません。

ところで、いくら魔女とはいえ食事を摂らねば生きていけません。彼女の食事は毎日、ゆでた豆とパン一枚、そして生の玉ねぎだけです。肉や卵やチーズはもちろん、ご馳走といわれるような食事は一切なし。

そんな彼女にも家族がいました。事業家の富豪エドワードと結婚し、二人の子供をもうけます。でも財産は夫婦別々の管理にしました。そして夫が事業に失敗した時、一切の援助をせず離婚しました。破産した夫は失意のうちに病死します。彼女はまた銀行で気に入らない対応をされると、一〇〇万ドル単位の預金を全額引き出し、銀行を倒産させます。まさしく魔女です。

ヘティは莫大な財産を減らさないために、住む家も安いアパートを転々としま す。そして毎日、経済新聞を読み終わると、息子にそれを売りに行かせました。そんな息子がある日、足を怪我しましたが、彼女は医者代をケチって放置します。結果、息子の足は切断となりました。

そんな彼女の最期は食事に招かれた友人の家です。そこで彼女はコックと口論になった最中に脳卒中を起こしたのです。口論のきっかけは、贅沢（ぜいたく）な料理についての文句だったそうなので、ドケチ人生の最期にふさわしいものだったといえるでしょう。

ヘティ・グリーンの人生を見ていると、彼女にとって金とはいったい何だったのだろうと思います。また人間の幸せとは何か、価値観とは何か、ということまで考えてしまいます。

彼女の生き方とは正反対の人生を送った人物が日本にいます。その名は薩摩治郎八（さつまじろはち）。

薩摩の祖父の治兵衛は近江の貧農の出身でしたが、明治の初めに横浜で木綿（もめん）織物で大成功し、木綿王と呼ばれるほどの財を成しました。治郎八が生まれた頃は明治の富豪二六人の一人に数えられていたそうです。

治郎八は大正九年（一九二〇年）、十九歳の時にイギリスに留学しますが、その時の仕送りは月に一万円。当時のサラリーマンの給料は三〇円でしたから、それを基準に考えれば現在の一億円くらいに相当するでしょうか。治郎八はこの金を車と女に使います。金が足りなくなれば、追加の仕送りがありました。

治郎八は家業を番頭に任せて、二年後にパリに居を移しますが、そこで本格的に金を使い始めます。ジャン・コクトー、レイモン・ラディゲらの文豪と交際し、日本からパリに来ていた洋画家の海老原喜之助、岡鹿之助、オペラ歌手の藤原義江などのパトロンになります。豪快な女遊びと桁外れの散財で、パリの社交界のスターになり、爵位がないにもかかわらず「バロン・サツマ」（薩摩男爵）と呼ばれます。

パリにいた十年間で使った金は現代の貨幣価値に直すと約六〇〇億円です。彼はもちろん浪費もしましたが、前述のように、美術や音楽、さらに演劇などの文化後援には惜しげもなく金を使いました。当時、フランス政府が各国に留学生のための宿泊研修施設の建設を呼びかけましたが、日本政府は資金不足を理由に断りました。それを聞いた治郎八は全額出資して、これを建てました。

でもさすがに浪費がたたったのか、昭和十年（一九三五年）に会社が倒産します。さらに第二次世界大戦後の改革によって、薩摩家は土地や資産のほとんどを失います。治郎八は四十代半ばでとうとう一文無しになってしまったのです。

私生活では松平容保（会津九代藩主で京都守護職）の孫娘と結婚しますが、彼女と死に別れた後、昭和三十一年、五十五歳の時に、三十歳年下のストリップ嬢と再婚します。そのあたりも豪快な治郎八らしい生き方です。

今の感覚でいえば、馬鹿な浪費と見えるかもしれませんが、治郎八が当時のパリで活躍する日本人の芸術家を後援したことによって、どれだけ日本の芸術が花開いたかわからないと言われています。かっこいい金の使い方だなと思います。


たまたま対照的な二人の話をしましたが、歴史的な富豪に関する唖然とするようなエピソードはいくらでもあります。中には爆笑する話もあれば、思わず拍手を送りたい話もあります。反対に軽蔑したくなるような話もあれば、嫌悪をもよおす話もあります。

私たちのような庶民はそこまで極端な使い方はできませんが、巨万の富には人間をおかしくする魔力が潜んでいるようです。だからこそ、それにまつわる話は人を魅了するのかもしれません。

個人的な思い出話でも、普遍性を持たせればOK

個人的な思い出というのは、他人が聞いてもあまり面白いものではありません。そんなものを喜んで聞くのは家族くらいです。

でも、まったくダメというわけではありません。その話がある種の普遍性を持っていれば、人は興味深く聞いてくれます。個人的な話であるにもかかわらず、聞いている人にとっても頷ける何かや、共感する何かがあれば、それは人に話してもいいレベルになります。

成人した息子と会話していて、たまたま話の中に「名古屋」のことが出た時です。息子はこんなことを言いました。

「僕、なんでかしらんけど、昔からナゴヤという言葉の響きが気持ち悪いんや。なんか言葉の響きに怖いイメージがあるんやなあ」

私はへーと答えました。詩人ランボーではありませんが、言葉に関する感性は皆違います。でも「ナゴヤ」という響きに怖いものを感じるというのは変わっているなと思ったのです。

すると、急に嫁さんが笑い出したのです。

「〇〇ちゃんが名古屋に怖いイメージがあるのは多分、あのことや」

そう言って、彼女は二十年前のある出来事を語り始めました。

息子が三歳の頃です。その日、息子は幼稚園に行かないと言い出しました。嫁さんがいくら言っても言うことを聞きません。

当時、私たちは兵庫県の猪名川町というところに住んでいました。その日は、私が名古屋に仕事に行く日でした。それで私は息子のことは嫁さんに任せて、「名古屋に行ってくるね」と言って出かけようとすると、息子が「〇〇ちゃんも、ナゴヤに行く」と言い出しました。嫁さんが「〇〇ちゃんは名古屋には行けないの」と言っても聞きません。

それで私が「じゃあ、父ちゃんと一緒に名古屋に行くか」と言うと、息子は大喜びで「うん」と頷きました。

私は息子と家内を車に乗せて、近所の川に行きました。その河原は大人の背丈ほどの草が鬱蒼と生い茂っています。

　私は車から降りて、「〇〇ちゃん、一緒に名古屋に行こう」と言って、その草の中を入っていきました。足もとには大きな石がごろごろあります。大人でも歩くのが大変なところです。息子は草を必死でかき分けながら、こけそうになるのをこらえて、何とか私についてきます。その後ろから嫁さんは笑いをこらえながらついてきたそうです。

「父ちゃん、名古屋はまだ？」と息子が訊いてきます。

「もうすぐや、この草を抜けて、川を渡ったら、名古屋や」

「川、どうやって渡るの？」

「泳ぐんや」

　急に息子の顔が泣きそうになったそうです。

　頃合よしとみた嫁さんが「〇〇ちゃん、名古屋に行く？」息子に訊くと、息子は「〇〇ちゃん、幼稚園行く」と答えたというのです。

　嫁さんに言われて、そんなこともあったなあと思い出しましたが、息子の記憶からは完全に消えていたそうです。

でも面白いのは、記憶からその出来事は抜け落ちていても、「ナゴヤ」という言葉の響きと「怖いところ」というイメージだけは、息子の潜在意識の中にへばりついていたというわけです。

この話を書いていたら、また思い出したことがありました。

子供の頃は誰でも怖い夢を見て恐怖にうなされたことはあると思いますが、私が小学生の低学年頃に怖い夢を見る時は、銭湯から始まることが多かったのです。近所の風呂屋に入っていると、なぜかそこにお化けが出たり、あるいは風呂屋から出ると、町に怪物が現れたりといった具合です。ですから、夢を見ていて、銭湯が出てくると、「うわー。また怖い夢になるんやないやろうか」と嫌な思いがしたのを覚えています。

大きくなってから、親父と話していると、ふと親父がこんなことを言い出したのです。

「お前が二歳くらいの時分に、風呂屋に行った時のことや。体を洗っていると、誰かが、子供が沈んでる！　と言う声がして、慌(あわ)てて浴槽を見たら、お前が風呂の底に沈んでたんや」

親父はそう言っておかしそうに笑いましたが、私はその時、初めて長年の謎が解けた思いがしました。

私には全然記憶にない出来事でしたが、その恐怖心は心の底にへばりついていたのでしょう。もしかしたら発見があと数分遅れたら、この本も存在していなかったかもしれません。

私がたまにこの話をすると、聞いている人たちも、「そういえば、私も――」と似た話をするということがよくあります。トラウマとまでいうのは大袈裟かもしれませんが、誰でも幼い頃に怖い記憶というのを持っているものです。本当の悲劇は聞いてはいられませんが、笑えるものなら楽しい話になります。

そしてこの話は「幼い頃の怖い記憶」というテーマに沿った話であり、そのテーマに普遍性があるからこそできる話です。**そうした普遍性のあるテーマがあるかないかということを、意識しておくことが大切です。**

雑談に使える古典の物語

『ラ・フォンテーヌ寓話』はネタの宝庫

私がよく話すジャンルの一つに、古典の文芸作品があります。といっても、スタンダール、ディケンズ、ドストエフスキー、トルストイといった文豪の作品なんかではありません。そういう話は、気の置けない友人たちとの楽しい雑談の場にはまったくふさわしくありません。

私がよくするのはフランスの『ラ・フォンテーヌ寓話』や、我が国の『宇治拾遺物語』、あるいは『徒然草』です。ここには面白くて教訓になる話が沢山あります。教養的でありながら、堅苦しさはどこにもありません。むしろ小噺的な楽しさがあり、現代の私たちの生活にも十分通じる内容がたっぷりと詰まっています。

『ラ・フォンテーヌ寓話』は十七世紀のフランスの詩人ジャン・ド・ラ・フォンテーヌが三十年にわたって書き続けた寓話集です。イソップ物語やインドの寓話をもとにして書かれていますが、彼自身のオリジナルも少なくありません。二〇〇編を超える短い寓話はどれも珠玉といえる作品です。有名な「すべての道はローマに通ず」という言葉や「火中の栗を拾う」という言葉も、実はこの寓話集から生まれた言葉です。

私はたまに出版社の編集者相手にそのいくつかを披露する時がありますが、たいてい皆すごく驚きます。というのも、今どきの若い編集者は担当している作家の原稿や今売れている小説を読むのに手いっぱいで、こういう古典に目を通す暇などないからです。

いくつか簡単に紹介しましょう。

ある森の中で一匹の子羊が川の水を飲んでいました。するとそこに狼がやってきて、こう言います。

「俺様の水飲み場を汚すとは許さん」

子羊は「お許しください」と言います。

「私が飲んでいるところは閣下のおられるところから二〇歩も離れています。ですから閣下の水は汚してはいません」

するとと狼はこう言います。

「お前は去年、俺の悪口を言ったな。知っているぞ」

「私は去年は生まれておりません」

「では、お前の兄が言ったのだ」

「私に兄はおりません」

「では、お前の身内の誰かだ。いずれにせよ、その仇は討たねばならん」

狼はそう言うと、子羊をさらって食べました。

この短い物語には恐ろしいまでの真理と教訓があります。つまり強者の言い分と理屈は常に通るということです。これは人間関係だけでなく、国同士の間にも成り立ちます。たとえば大国が小国を侵略する時は、たいていこんな滅茶苦茶な理屈で軍隊を送り込みます。

ついでですから、もう一つ紹介しましょう。

民主体制のもと、リーダーがいないカエルたちは、天に向かって「王様が欲しい」とねだります。天は一本の杭を池に投げ込みます。カエルたちは「王が来た」

と喜びますが、杭は動きもしなければ、話しもしません。カエルたちはそのうちに不満を言い出します。そして天に向かって、「動く王様が欲しい」と言います。天は仕方なく今度は一匹の鶴を送ります。鶴はカエルたちを次から次へと食べていきます。

カエルたちは天に向かって不満を言います。すると天は呆れてこう言います。

「お前たちが動く王を欲しいというからやったのだ。それで我慢しておけ。さもないと、今度はもっと恐ろしい王が来ることになるぞ」

これも見ようによっては恐ろしい話です。私はこの話の中に、ヒットラーやスターリンやポル・ポトを望んだ大衆を連想します。彼らはより強いリーダーを欲し、望み通りの王を戴く（いただく）ことに成功します。しかしその王は実は次々とカエルたちを飲み込む鶴だったのです。『ラ・フォンテーヌ寓話』が描かれたのは十七世紀ですが、まるで二十世紀の社会を予言しているかのような物語です。

ちなみに私の『カエルの楽園』（新潮社）はこの物語から連想して生まれた小説です。それで、表紙にはこの話に付けられたギュスターブ・ドレの挿画を使っています（『ラ・フォンテーヌ寓話』はいくつも版がありますが、ドレの挿画付きの本がよく知

『カエルの楽園』（新潮社）

られています）。

もっとも社会風刺ばかりではありません。こういう馬鹿馬鹿しいのもあります。

ただ金を貯めるだけに生きてきたある男がいました。まったく金を使わず、貯めた金は山の中のある穴に埋めていました。でも、ある日、金を埋めた場所に行ってみると、金は誰かに盗まれて、穴の中は空っぽでした。男は嘆き悲しみます。そこに一人の男が通りかかり、「何を嘆いているのか」と訊ねます。

男が「埋めていた金を盗られた」と言うと、通りかかった男は「なぜ家の中に置いておかなかった？」と訊きます。男は「金は使うつもりはなかった。だから家に置く必要はなかった」と答えます。すると通りかかった男はこう言います。

「じゃあ、その空っぽの穴にもう一度石を置いておけばいい。使わない金なら同じことだろう」

一見コントのような話ですが、私は現代の何千億円という資産を持ちながら、それを一切世の中に還元せず、社会貢献もしないまま、亡くなる超大金持ちを見ると、この寓話を思い出します。

『ラ・フォンテーヌ寓話』にはこういう不思議な含蓄に富んだ話がいくらでもあります。私の愛読書の一つで、若い頃から繰り返し読んでいます。

『宇治拾遺物語』と『徒然草』

『宇治拾遺物語』も私の大好きな本です。ここに描かれている物語の深さ面白さは、世界の古典に比べても引けを取らないと思っています。

大好きな話がいくつもあるのですが、その中の一つを紹介しましょう。

山の中の寺で長く修行をしている立派な僧のところに、猟師が食べ物を届けにやってきました。すると僧は「いい日に来た」と言いました。

「毎夜、普賢菩薩（ふげんぼさつ）が象に乗ってお見えになる。今夜は寺に泊まってその姿を拝みなさい」

猟師は泊まって菩薩を拝むことにしました。寺に小僧がいたので、猟師は「お前も見たのか」と訊くと、小僧は「五、六回見ました」と答えました。

その夜、寝ないで待っていると、東の峰の方から明かりが見えてきました。見れば、白い象に乗った普賢菩薩がやってきて、僧の前に立ちました。僧は涙を流して菩薩を拝みます。すると、猟師はいきなり弓矢で菩薩を射ます。その瞬間、明かりは消え、菩薩の姿も消えます。

僧は「なんということをしたのだ」と泣いて怒りましたが、猟師は「長年修行を積まれた僧が菩薩を見るのはわかります。しかし私のような殺生ばかりしてきた罪深い者の目にも見えるのはおかしいと思い、矢を放ちました。本物の菩薩なら、私の矢など当たりません」と言いました。

夜が明けてから、一行が血の跡をたどると、谷の底に大きな狸が矢を打たれて死んでいるのを見つけました。

この物語は、本当の知性とは何かということを教えてくれているような気がします。いかに修行を積んだ学識高い僧でも、本当の知性がなければ狸に化かされ、何の学もない猟師でも思慮があれば狸には化かされないのです。

兼好法師の『徒然草』も私のお気に入りのレパートリーの一つです。毒舌家でもある兼好法師は私と性格が似ている気もしていますが、彼の皮肉たっぷりのエッセイは読んでいてにやりと笑える話が多いです。

木登り名人が高い木の上にいる弟子には何も声をかけず、あとちょっとで地上に降りるというところで「気を付けろ」と注意する話や、良き友の一番は「物くるる人」という話はよく知られていますが、私が『徒然草』の話をする時は、少し変わった物語をします。

仁和寺（にんなじ）の僧たちが宴会で盛り上がっている時、一人の僧が調子に乗って青銅の鼎（かなえ）（三本足の器）を頭にかぶって踊りました。そのおかしな格好に、満座は大受けで、僧は拍手喝采（かっさい）を浴びました。

踊りを終えた僧は鼎を頭から抜こうとしたのですが、これが抜けません。皆が必死になって抜こうとしても、どうにも抜けません。首の周りの肉が破れて血だらけになります。僧の言うこともまるで聞こえません。仕方なく皆で鼎を叩き割ろうとしますが、青銅製の鼎は固くて割れません。何より本人が頭と耳がガンガンして耐えられません。

　ついに医者に連れていきますが、医者も「こんなのは見たこともないし、治療法はない」と匙を投げます。

　でも、そのままではご飯も食べられないので死んでしまいます。そこで皆で力ずくで鼎を引っ張って頭から抜きますが、僧の鼻も耳もちぎれてしまいました。

　私は二十代の時にこの話を読んで、大笑いすると同時に、「調子に乗って鼎をかぶるような真似はしてはいけないな」と肝に銘じました。

　でも現代でも、周囲の人におだてられて、あるいは皆に受けると思って、鼎をかぶって踊る馬鹿が少なくないように思います。SNSなどで、モラルに反するような写真を投稿したり、反社会的な発言をしたり、犯罪自慢をするような馬鹿です。ツイッターにひっかけて「バカッター」などと呼ばれる人種です。本人は受けると思ってやったのでしょうが、そのせいで学校を退学になったり仕事を失ったりした人が少なくありません。

　こういう馬鹿は年齢はあまり関係ないようです。分別ついた年齢なのに、複数の政党にいいように言われ、政策も何もないのに選挙にしゃしゃり出て、間抜けな発言を繰り返した上に、過去のスキャンダルまで暴かれて赤っ恥をかく人もいます。
こういう人たちも、私の目には「鼎をかぶって踊った人」に見えます。

古典の話は現代の事件に関連させて話すと、興味深く聞いてくれます。またすでに著作権も切れていて、ネタバレしても目くじら立てて怒る人もいないので、話しやすいということもあります。

他に『ギリシャ神話』や『旧約聖書』や『今昔物語』の中にも、面白い話はいくらでもあります。かび臭い本と敬遠せずに、ページをめくってみれば、現代文学に匹敵する、あるいはそれ以上に刺激的で示唆に富んだ話をいくつも見つけることができるでしょう。そういうネタをいくつか仕込んでおくのは損ではないと思います。

時代の不運に泣いた人の話は共感を呼ぶ

英雄や天才たちの華々しい成功譚も面白いですが、その反対の不遇に終わった人の話というのも、同じくらい興味深いものがあります。

特に実力も才能も十分にありながら、環境や運に恵まれず、大輪の花を咲かせられなかった人や、それに値する称賛を受けなかった人、あるいは不遇のままに終わった人などの話は、聞いている人の共感を呼びます。そんな話はいくらでもありますす。例として何を出そうか迷うくらいです。

世界で初めてグライダー飛行をしたのは日本人？

たとえば、江戸時代に浮田幸吉（うきたこうきち）という人がいました。おそらくこの名前はほとんどの人に知られていないでしょう。

江戸時代中期、備前の国（岡山県）の表具師（屛風や掛け軸などを作る職人）だった幸吉は、なぜか空を飛ぶことに憧れます。人類は大昔から空を飛ぶという夢を持っていましたが、幸吉は本気でそれに取り組みます。彼は「人間でも鳥のように翼があれば飛べるのではないか」と考え、鳥を捕まえて、翼と胴体の仕組みや比率を調べます。

当時はもちろん航空力学などは存在しません。しかも幸吉には物理学の基本知識もありません。でも幸吉は表具師の技術を生かして、竹を骨組みにして紙と布を張り、それに柿渋（かきしぶ）を塗って強度を持たせた翼を作り上げました。何度も試作を繰り返し、二十八歳の時についにグライダーのようなものを完成させます。

そして天明五年（一七八五年）の夏、岡山の旭川（あさひがわ）に架かる京橋の欄干（らんかん）の上から飛びました。

風に乗った機体は数十メートルを滑空したと言われます。河原で知らず夕涼みをしていた町人たちの頭上を旋回し、それを見た人々は「天狗（てんぐ）が飛んできた」と大騒ぎしたといいます。

もちろん日本初のグライダー飛行です。本来なら称賛されて、ヒーローとなったでしょうが、幸吉を待っていたのはそんなものではありませんでした。人々を騒乱させたという罪で、藩士によって捕らえられたのです。そして岡山から所払い（追放）という処分を受けました。

これから六十四年後（一八四九年）に、イギリスで「航空学の父」と言われるジョージ・ケイリーが同じグライダーの原理を用いて、「世界で初めて有人グライダー飛行に成功した」栄誉を得ますが、本当は浮田幸吉が受けるはずだったのです。

まことに残念な話です。

もし藩が幸吉の偉業を理解し、彼を援助していたなら、その後、彼のグライダー技術はさらに上がり、世界で初めて空を飛んだ男として世界史に名前を残したかもしれません。生まれてきた場所と時代が悪かったのかもしれません。

岡山を所払いされた幸吉は駿河の府中（現・静岡県静岡市）に移り、そこで腕のいい入れ歯師となりました。でも空を飛ぶ夢を捨てきれず、五十歳の時に改良したグライダーで、安倍川上空を数十秒も滑空したという話も残っています。

ただこの時、世を騒がせたということで死罪になったという話も残っています。

浮田幸吉の生涯を描いた飯嶋和一氏の『始祖鳥記』（小学館文庫）は凄く面白い小説なので、もし興味があれば一度読んでみてください。

余談ですが、幸吉が岡山を所払いになった約二百年後の平成九年（一九九七年）、旧岡山藩主の子孫である池田家当主より、幸吉の所払いが許されています。

あまりにも不遇だった日本の天才研究者たち

江戸時代には、周囲の無理解に泣いた日本人が少なくありませんが、こうした悲運は現代でもあります。

東北大学の教授であった西澤潤一氏は光ファイバーの原理の発見者として知られていますが、特許は認められませんでした。理由は沢山ありますが、一番大きなものは、あまりにも斬新なアイデアを特許庁が理解できなかったことです。

西澤氏が光ファイバーの原理を考えたのは昭和三十年代です。ガラスの管に光が通って、それで情報が伝えられるなんて、当時としては誰も考えつかなかった画期的なことです。その先進性を特許庁の役人は理解できず、西澤氏の特許申請を認めませんでした。西澤氏は書式を変えて二〇回くらい申請していますが、いずれも拒絶されました。

結局、光ファイバーの特許はアメリカに奪われ、また西澤氏からアイデアを受けて実用化に成功した中国人学者がノーベル賞を受賞しました。

実は日本の特許システムの効率の悪さは有名です。そのために世界的な発明をしながら、特許が認められず、後に外国に特許を取られた例は枚挙にいとまがありません。IT産業の花形である「光通信」の特許が日本人のものにならなかったのは本当に残念です。

似た話では「フェライトの父」と言われる武井武もそうです。フェライトとは乱暴にいえば、テープレコーダーやビデオレコーダーの基礎となる磁性材料です。武井は昭和五年（一九三〇年）にこれを発見しました。

オランダのフィリップス社がフェライトに関心を持ち、サンプルを求めてきたので、武井は親切にサンプルを送りました。すると同社はサンプルを分解し、理論を突き止めて世界に特許を申請しました。そして戦後、フィリップスは日本でも特許を申請しました。GHQの命令で、日本はフィリップス社の特許を無理矢理飲まされました。そして武井の名前は消されたのです。

腹が立つことはまだあります。フランスの物理学者ルイ・ネールは武井理論を自分の名前で出して、ノーベル賞を受賞したのです。

戦前の日本人が人種差別でノーベル賞を取れなかったケースはいくらでもあります。

まず北里柴三郎。彼は破傷風に次いで手掛けた血清療法をドイツ人エミール・ベーリングと共同研究の形で発表しました。でも、ノーベル賞を取ったのはベーリングだけです。しかもベーリングの論文のほとんどは北里の仕事であったといわれています。北里はアジア人ゆえに受賞から外されたのです。

同じ頃、高峰譲吉が世界で初めて副腎皮質ホルモンの結晶抽出に成功し、アドレナリンと名付けました。でも、アメリカ人ジョン・エーベルが「高峰が自分の研究を盗んだ」と嘘を広め、アメリカ医学界もエーベルの名付けたエピネフリンを正式名としました。後にジュリアス・アクセルロッドはアドレナリンを脳伝達物質として理論づけてノーベル賞を取りましたが、アドレナリンの第一発見者であり、結晶抽出に成功した高峰の名も業績も消されました。

鈴木梅太郎や小林六造も本来ならノーベル賞を受賞して当然の業績を残しながら、いずれもオランダ人やオーストラリア人に業績を奪われて、受賞を逃していま す。

さすがにこうした話は不愉快極まりないので、あまり詳しく書く気はしません。興味のある人はぜひ、前記の名前で調べてみてください。

余談ですが、前記の北里柴三郎も高峰譲吉も、義務教育もなかった江戸時代の生まれです。つまり現代のような教育システムができていない環境にありながら、偉大な業績を挙げたのです。それを考えると、日本人は昔からなんと優秀な民族であったかというのがわかります。

不遇に終わった人の話がなぜ共感を呼ぶかといえば、それは私たち自身の話に似ているからです。世の中のほとんどの人は常に正当には認められていません。努力も業績も貢献も、です。残念ながら、それが世の中です。

それにもかかわらず、多くの人がそのことで腐るのでもなく、黙々と自らのやるべきことを行なっています。日本という国がここまで発展したのは、そのお陰です。でも誰もが心の底には忸怩（じくじ）たる思いを持っています。時代や周囲の無理解、偏見や誤解によって不当な扱いを受けた人たちの話は、だからこそ多くの人の共感を呼ぶのだと思います。

色恋の話は男女問わず受ける

恋は盲目という言葉がありますが、恋に心を奪われると、周囲が一切見えなくなるのは洋の東西を問いません。それは歴史上の有名人でも、私たちのような市井の庶民でも同じです。それだけにそういう話は多くの共感を呼ぶのでしょう。

色恋の話は男女問わず受けますが、**ただ、雑談としてそういう話題を選ぶ時に心に留めておかないといけないことは、男性はどちらかといえばバカな話を好むのに対して、女性はロマンチックな話を好むということです。これを逆にすると、全然受けないことになるので要注意です。**

作曲家ベルリオーズの屈折した愛憎

恋に狂ってバカなことをするのはたいてい男です。そういう事件や話を聞くたびに、わが身を振り返って、「男って生き物は本当に馬鹿だなあ」とつくづく思います。そういう話は本当に山のようにあります。

私はクラシック音楽を聴くのが趣味ですが、大作曲家にも笑ってしまうような恋の話はいくらでもあります。

フランスの生んだ大作曲家エクトル・ベルリオーズの話は相当豪快です。

ベルリオーズは青年時代は医者になろうと医科大学で学んでいましたが、十九歳の時に医学の道を捨て、音楽家への道を歩みます。

二十三歳のベルリオーズは、パリに公演に来ていたイギリスのシェークスピア劇団の芝居を見て、ハリエット・スミスソンという三歳年上のアイルランド出身の看板女優に一目惚れします。完全にのぼせあがったベルリオーズは、ハリエットに情熱的な手紙を何通も送り、必死で面会を迫りますが、相手は今をときめく人気女優、一方は作曲コンクールに落選続きの無名の音楽家ですから、この恋は当然ながらまったく実りません。

ところがベルリオーズは転んでもただでは起きない男でした。彼は自分をまったく相手にしないハリエットに憎悪を抱き、その屈折した感情を注ぎ込み、「幻想交響曲」という名曲を書き上げました。この曲は一人の若い音楽家がある女性に恋をするが失恋し、人生に絶望して、阿片(あへん)を飲んで自殺を図るが、致死量に至らず、瀕死(ひんし)の状態の中で奇怪な幻想を見るというものです。終楽章では、悪魔たちの饗宴(きょうえん)の場に引きずり出された彼の前に、自分をふった女性が現れて終わるという一種の狂気に満ちた曲です。

ベルリオーズはこの曲で大成功をおさめ、一躍時代の寵児となりました。

その二年後、ハリエット・スミスソンはパリで開かれた演奏会を訪れ、この曲を聴きます。彼女は演奏会のプログラムに書かれた文章を見て、また多くの聴衆に注目されたことで、この曲のヒロインが自分であることを初めて知ります。そして曲を聴き、涙を流すほどに感動したのです。そしてこれを契機として、ベルリオーズとハリエットは交際するようになり、なんと翌年、とうとう二人は結婚することになりました。ベルリオーズが劇場で初めて彼女を見て恋に落ちて六年後のことです。つまりベルリオーズは失恋体験を告白した交響曲を作ることによって、成功と恋を二つとも手に入れたのです。

ただ、この結婚生活は長くは続かず、二人は七年後に別居します。

一説には、ベルリオーズはハリエット・スミスソンという女性を愛したのではなく、彼女が演じるシェークスピアのヒロインを愛したのだともいわれています。つまり結婚して一緒に暮らしてみると、ハリエットが普通の女性であることに気付いて幻滅したというわけです。いわゆる「恋に恋する」というやつで、恋する相手を勝手に理想化してしまったのでしょう。十代の思春期には珍しくありませんが、べルリオーズの場合は、三十歳を超えてもそういうところが残っていたのかもしれません。しかし逆の見方をすれば、そういう異常に強い幻想を抱く人間だからこそ、歴史に残る芸術家になったとも言えるかもしれません。彼はあまりにもロマンチストで情熱的すぎたのです。

ベルリオーズの激情の強さは並ではありません。実は最初にハリエットにふられた後、ベルリオーズはマリー・モークという女性と恋して婚約までしましたが、マリーの母親からイタリア留学中に、「別の男性と結婚させる」という手紙が送られてきたのです。これを読んだベルリオーズは激怒して、マリーと彼女の母、そして彼女の結婚相手の男性を殺害しようと決意します。そして女に変装して三人をピストルで撃つという計画まで立て、女装用の女物の服まで買って急遽フランスに戻りますが、国境を越えたところで我を取り戻し、きわどいところで犯行を思いとどまりました。

はっきりいって相当危ない男です。こういう話を聞くと、天才と狂気は紙一重だというのは本当だと思います。

ブラームスとクララ・シューマン

それに比べると、同じ音楽家でもブラームスの恋はまったく違います。女性に受けるのはブラームスの話かもしれません。

ヨハネス・ブラームスは二十歳の頃、シューマンによって才能を認められ、世に出ることができました。この時、シューマンの妻であったクララと出会います。

ブラームスより十四歳年上のクララは、九歳の時にモーツァルトのピアノ協奏曲を公開で弾いて世間を驚かせたほどの天才少女ピアニストでした。作曲の才能にも恵まれていましたが、当時は女性作曲家は認められず、ピアニストとして生きることを選びました。そして二十歳の時に十歳上の作曲家ロベルト・シューマンと結婚しています。

天才ピアニストでもあり、年上の女性の魅力を持ったクララに、ブラームスは恋心を抱いたようです。クララもまたブラームスの天才性を見抜き、また彼の人間性に惹かれたようです。でもブラームスにとってクララは恩人の妻ですから、気持ちを打ち明けるようなことはできません。

ところが、翌年、シューマンが精神病院に入院した後、二人は急速に接近します。二人に肉体関係があったかどうかは不明です。ただ、ブラームスがクララにあてた手紙には、以前は「Ｓｉｅ」（あなた）が使われていたのに、その頃から、より親しい「Ｄｕ」（お前）に変わっています。また二十二歳の頃から、それまでの「親愛なるクララ」から「私のクララ」という書き方に変わっています。

でも、シューマンの死後（ブラームスは二十三歳）、二人は距離を置くようになります。理由はわかりません。当時、ブラームスとクララの仲が一部で噂されるようになっていたから、二人は大人の選択をしたのかもしれません。あるいは単に男と女のすれ違いかもしれません。この時それまでに交わされた手紙の多くは破棄されましたが、音楽史的に見れば、それは非常に残念なことです。

ブラームスとクララはその後、再び親交を深め、それは彼女の死まで続きます。ブラームスは生涯で何度か恋をしますが、ついに一度も結婚には至りませんでした。もしかしたら、それはクララに対しての誠意と貞節であったのかもしれません。

私はどちらの話も大好きですが、人によってはブラームスの話の方を好むかもしれません。

ちなみに拙著『クラシックを読む』シリーズ（全三巻、祥伝社新書）で、私は愛聴する名曲について熱く語ると同時に、作曲家の興味深いエピソードをふんだんに書いています。クラシック音楽に興味のある方はぜひ、お読みください。

女性が大好きな恋の話は、恋のために地位や名誉も擲（なげう）って、好きな異性のもとへ走る話です。

炭鉱王の妻の座を捨て、年下の学生と駆け落ちした柳原白蓮（やなぎわらびゃくれん）の話や、イギリス王位を捨てて離婚歴のあるアメリカ女性と結婚したエドワード八世の話などです。ちなみにエドワード八世と結婚したシンプソン夫人は「愛嬌のあるブス」といわれたくらい、美貌とはほど遠い女性でした。

ちなみにシンプソン夫人はナチスのスパイであったという話や、ナチスの外務大臣リッベントロップの情婦であったという説も出ていますが、本当のところはわかりません。

ただ、不倫の話題は聞く人の立場によって面白がるか不快に思うかは一八〇度振れます。妻が不倫に走る話は、既婚男性はたいてい不愉快に思うようですし、逆に妻子ある男性との恋の話は、既婚女性は嫌悪感を抱きます。

ですから、既婚者が大勢いる場では、不倫の話はいかに面白い話でも避けるのがベストです。

数字も見方を変えれば面白くなる

後宮三千人

世の中にはいろんな数字があります。普段何気なく聞き過ごす数字ですが、それをじっくり考えると、結構驚くものがあります。

たとえば、昔の中国は「後宮三千人」といわれました。後宮とはハーレムのことです。皇帝専用の女性が住んでいるところです。皇帝専用の女性ですから、他の男は手出しができません。そこで中国では、後宮で働く男はセックスができないように、全員あそこをちょん切ります。これを宦官といいます。

　ところで後宮三千人と言いますが、これを一人の皇帝が相手をするのですから、これはもう大変な仕事と言わざるを得ません。男の精力は個人差がありますから一概には言えませんが、まあ普通の男性で、平均すれば、一日一回というところでしょうか。実際にそんなペースでやっている男性はまずいないとは思いますが、まあ頑張れば、それくらいはできるかな、ところこれは私の想像です。

　で、一日一回ペースで頑張れば、三千人をすべて相手にするのに、どれくらいかかるか、計算してみると、なんと八年二ヶ月かかります。もし一週間に一日休みの日をこしらえれば、九年半かかります。三日に一日休むと、十一年近くかかるのです。つまりせっかく後宮に若いぴちぴちの美女を仕入れても、ローテーションの最後の方になると、もう大年増になっている可能性が高いのです。

　生きのいい状態を味わおうとすれば、一日二回くらいのペースでやらないといけません。もうそうなると、皇帝の仕事というのは、それがメインかというくらいになります。

　実際、中国の皇帝は、三代目以降あたりになると、政治は大臣などに任せて、頭の中は後宮のことばかりだったといわれています。そのため皇帝の一番の相談相手は宰相や将軍ではなく宦官ということがよくありました。それで宦官が皇帝をいいように操り、国をめちゃくちゃにしてしまったケースがいくらでもあります。

ちなみに宦官はセックスができないので子孫を残すことができません。それでなのかどうかはわかりませんが、宦官の権力欲、金銭欲は異常に強かったといわれます。しかしこれは本当かどうかわかりません。中国の歴史上、悪名高い宦官が何人かいたから、そういわれているだけのような気もします。

ちなみに宦官はヨーロッパにもありました。キリスト教社会やイスラム教社会にも共通してありました。中国の周辺国も皆この制度がありました。

ところが日本にはありません。日本は漢字や仏教をはじめ、中国からさまざまな文化を取り入れましたが、いくつかの制度はシャットアウトしています。科挙、凌遅刑（りょうちけい）、それと宦官です。科挙は非人間的ともいえる恐ろしいまでに過酷な官吏登用試験です。凌遅刑というのは、何日もかけてじっくりと殺す残酷な刑罰です。中国も朝鮮もつい百年ほど前まで普通に行なわれていました。これら三つをシャットアウトした昔の日本人は偉かったなあと、私はつくづく思います。

話が脱線しましたが、普段なにげなく聞きすごす「後宮三千人」というのは、実際に考えてみると相当大変なことがわかります。実際には三千人いたのかどうかははっきりしないようですが、後宮の中にはおそらく一生処女のまま後宮で生涯を終えた女性も沢山いたのではないかと思います。

数字を検討してみると、いろいろと想像が膨らんで楽しめます。

国鉄の赤字三七兆円！

現在ＪＲと呼ばれている民間鉄道会社は、かつて国鉄と呼ばれる国有鉄道でした。「親方日の丸」となれば放漫経営に陥るのが世の常です。また幹部の天下り先の外郭団体や子会社を無数にこしらえて、さらに経営が滅茶苦茶になりました。一番ひどい時は、電球一つ替えるのに、いくつもの子会社を経て経費が何千円とかかったということです。その上、悪名高い動労（国鉄動力車労働組合）と国労（国鉄労働組合）という二つの組合が、余剰人員整理に反対してストばかりやりましたから、どんな小さな駅にも余った職員が何人もいるという凄い無駄が生まれました。

もちろんこんな状態で健全経営などできません。一九八七年、民営化された時の国鉄の長期債務等の総額は三七・一兆円でした。

三七兆円という数字は皆さん、想像がつきますか？

これもじっくり検討すると、凄さが見えてきます。

当時は利子が五パーセント以上ありました。では、三七兆円を五パーセントの利子で考えてみましょう。

一年間の利子は一兆八五〇〇億円です。この数字もまだピンときませんね。では、これを三百六十五日で割ってみましょう。すると約五〇億円です。なんと一日に利子だけで五〇億円です！

さらにこれを二十四時間で割ってみましょう。すると、一時間約二億一〇〇〇万円です。ついでだから、六十分で割ってみましょう。すると一分あたり、約三五〇万円です。ここまで来たら六十秒で割ってみましょう。すると一秒で利子が約五万八〇〇〇円です。

一秒五万八〇〇〇円の利子ですよ！　こうしてみると、その恐ろしさが見えてきませんか。毎秒約六万円、トイレに二分入っている間に約七〇〇万円、八時間眠っている間に約一六億八〇〇〇万円です。それだけの利子を休みなく支払い続けてももとの三七兆円は少しも減っていないのです。

三七兆円という国鉄の借金は、そういう額なのです。三七兆円という数字だけ見ればば全然ピンときませんが、分解していくと、それが見えてきます。

宝くじの一等当せん確率は二〇〇〇万分の一

どうですか。一見、何の実感も伴わない数字でも、分析してみると、身近な感覚として摑めるでしょう。

宝くじもそうして見ると、面白いものがあります。

年末ジャンボ宝くじの一等当せんの確率は前後賞などもあって、なかなか計算が難しいのですが、純粋に一等だけ見れば、だいたい二〇〇〇万分の一です。でも二〇〇〇万分の一という確率は、どれくらいのものなのか全然ピンときません。ところが、これを別の数字に置き換えてみれば、わかりやすくなる面があります。

人間の髪の毛は平均すると一〇万本くらいだそうです。つまり二〇〇〇万分の一という確率は、二〇〇人の人間を並べて、その中の一人の髪の毛に一本だけ当たりの髪の毛があるということになります。目を閉じて、二〇〇人の人の中から一人を選んで、髪の毛を一本抜いて見事に当てるなんて芸当ができるとはとても思えません。仮に千本抜いてもいいと言われても、私なら遠慮したい気分です。

もう少し別の数字で考えてみましょうか。

ジャンケンで勝つ確率は二分の一です。二回連続勝つ確率は四分の一、三回連続は八分の一。さて、二〇〇〇万分の一に到達するには何回連続勝てばいいのでしょうか。答えは二五回です（三三五五万四四三二分の一）。

そう考えると、プロ野球の田中将大（マー君）の二四連勝の凄さがわかります。これは確率的には一六七七万七二一六分の一（勝率五〇％の場合）です。大相撲の双葉山の六九連勝の記録は電卓では計算できません。かつての女子バレーのニチボー貝塚の二五八連勝などは、天文学的な桁になります。ちなみに一〇連勝するごとにおよそ一〇〇〇分の一（一〇二四分の一）の確率になりますから、二五八連勝は一〇の七七乗分の一くらいの確率になりそうです。

話が脱線しましたが、宝くじの二〇〇〇万分の一という数字の凄さが少しはわかってもらえたでしょうか。ちなみに八十歳まで生きた場合、一生涯で交通事故で死傷する確率は、二七％だということです。意外に高い数字に驚きます。

ニュースや情報を見ていると、そこにはさまざまな数字が出てきますが、それらの数字を別の視点で見ることによって、捉え方が全く違ってくるということはよくあります。語り方を変えることによって、急に面白く見えてくることもあります。

犯罪ものの話題は難しいが、面白い

オランダの「英雄」メーヘレン

犯罪ものの話も、多くの人が関心を持つ話題です。

ただ、猟奇的犯罪や多くの人が死んだ事件は、話し方によっては全然楽しいものにはならないので、大いに気を付けるべきです。

「帝銀事件」「徳島ラジオ商殺し事件」「下山事件」「狭山事件」などは、今なおミステリー的な要素が強く、これらを詳しく話すと、相当面白いのですが、場が暗くなるのは否めません。

さすがに「津山三十人殺し」事件（横溝正史の小説『八つ墓村』のモデルになった事件です）くらい古いと、もう歴史になっているので、それなりに面白くは話せる気もしますが、やはり何十人も死んでいるので、楽しい話にはなりません。

でも、誰も死んでいない詐欺事件や、豪快な泥棒事件などには、笑って聞けるものもあります。もっとも罪のない貧しい人を騙したり、金を盗ったりした事件はやはり笑えないので、注意が必要です。


私は昔から犯罪事件に興味があり、多くの本を読んできました。その中で、誰に話しても非常に面白く聞いてもらえる話があります。これは実にユーモラスで、かつ痛快で、その上スケールの大きい犯罪です。しかも大いに笑える事件でもあります。

それは「メーヘレン事件」と呼ばれているものです。

この事件の主役であるハン・ファン・メーヘレン（本名ヘンリクス・アントニウス・ファン・メーヘレン）は一八八九年生まれのオランダの画商です。

オランダは第二次世界大戦の時にナチス・ドイツに占領されました。占領下でオランダ人は大変な苦労をしました。有名なアンネ・フランクはユダヤ系ドイツ人でオランダに亡命し、ナチスの目を逃れて屋根裏部屋に暮らしていましたが、見つかって収容所に送られて、そこで亡くなりました。

そんな占領下時代、メーヘレンは画商として、ナチスの高官にオランダの国宝ともいうべき、フェルメールの絵を大量に売りました。

ハン・ファン・メーヘレン
(写真提供:ユニフォトプレス)

戦後、オランダ人は戦争中にナチスに協力した同国人を徹底的に糾弾しました。オランダの生んだ世界的な指揮者で大スターだったウィレム・メンゲルベルクは、ナチスのために演奏したという罪で、音楽界から追放されました。ナチス兵士の恋人や愛人になった女性は、頭を丸刈りにされ、石を投げつけられました。

メーヘレンにはもっと厳しい運命

が待っていました。彼はオランダの偉大な文化財の略奪者として逮捕され、長期の懲役刑を求刑されたのです。単に絵を売っただけなのに、オランダ政府は許さなかったのです。そして連日厳しい取り調べが行なわれました。

そんなある日、メーヘレンはとんでもないことを言い出しました。

「俺はナチスにフェルメールの絵など売っていない。俺が売ったのはすべて俺が描いた絵だ」

驚いた裁判官は、メーヘレンに実際に絵を描かせます。

メーヘレンは法廷で完璧なフェルメールの絵を描き、検事や裁判官を驚愕させます。

またメーヘレンが売ったとされるフェルメールの絵をエックス線写真などで調べたところ、すべて贋作（がんさく）であることがわかったのです。

メーヘレンは無実になったばかりか、一転して、「ナチス・ドイツを手玉に取った男」として、オランダの英雄になりました。もっともフェルメールの署名を偽造した罪は問われましたが、それは非常に軽い罪でした。

今日、メーヘレンは、「二十世紀で最も独創的・巧妙な贋作者の一人」といわれています。

歴史に残る贋作者は何人かいますが、贋作で国民的英雄となった人物はメーヘレンだけです。現在、世界に出回っているフェルメールの絵の何枚かはメーヘレンが描いたものともいわれています。

「偉大な寓話」とすら思える脱獄囚の話

犯罪ものの話で受けるのは「脱獄もの」です。

映画やドラマでも脱獄をテーマにした名作は数多くあります。どうやら人は、閉じ込められたり幽閉されたりした状態から、自由を目指して戦うというテーマに惹かれるものがあるのかもしれません。

世界的に有名な脱獄囚は映画『パピヨン』のモデルになったアンリ・シャリエールです。彼は一九三一年に終身刑として当時フランス領だったギアナのデビルズ島（悪魔島）の監獄に送られますが、そこで何度も脱走を企て（成功も失敗もある）、最後はベネズエラの市民権を得ます。この脱獄の手記は世界で一〇〇〇万部を売り上げるベストセラーになりました。

彼の脱獄の物語もそれなりに面白いのですが、実は日本にはシャリエールをはるかに超えるとてつもない脱獄囚がいたのです。その名は白鳥由栄。

彼の脱獄の記録はいくつかの本になっていますが、一番有名なのは小説家・吉村昭の『破獄』です。破獄とは脱獄の意味です。このドキュメント小説の中で、白鳥の脱獄の様子は微に入り細をうがって克明に描かれています（小説の中では佐久間清太郎という名前が使われています）。それを読むと、もう超人としか思えません。

彼は生涯四度の脱獄に成功しています。まず最初は青森刑務所で、針金で手製の合鍵を作り、手錠を外して脱獄します。

次に秋田刑務所では、なんと数メートル上の天窓から脱獄しています。この時の脱出口は独房の天窓でした。白鳥は壁の両側に足と腕を突っ張って天井まで登り（九〇度の角を利用してのもので、普通の人は絶対にできません。いや体操選手でも不可能ではないかという気がします）、そこで毎日、天窓の枠を手製の鋸で切ったのです。その鋸はブリキ板と釘で作ったものです。

三度目は網走刑務所です。実は網走刑務所は明治にできて以来、誰も脱獄に成功していない刑務所でした。看守たちは過去に二度にわたって脱獄している男がやってきたということで、絶対に脱獄させないと白鳥の両手両足に手錠をはめ、しかもボルトで止めた上に溶接します。

でも白鳥は手錠のボルトを毎日歯で噛んで少しずつ緩め、数ヶ月かかってついに外してしまいます。白鳥の信念は「人間が作ったものは必ず壊せる」というものでした。ただボルトは外せても、そのために歯はほとんど欠けてしまいました。

看守たちは徹底した監視を続けますが、白鳥はその警戒をすり抜けて脱獄に成功します。この時、彼は毎日味噌汁を口に含み、それを手錠と鉄格子に塗り付け、塩分で錆びさせて壊しています。そして頭がやっと通るだけの監視口を両肩の関節を外して潜り抜け、監獄の廊下の天井を伝って逃げています。

そして複雑な刑務所の中庭を迷うことなく最短距離で塀まで行き、途中にある煙突の支柱を凄まじい力で引き抜き、それを梯子（はしご）代わりにして塀を越えて脱獄に成功しています。

彼はずっと独房にいて、刑務所の庭がどうなっているかは知らないはずだったのですが、一度だけ火災訓練の時に独房から出されていて、その時に刑務所の地図をすべて頭に叩き込んでいたのです。

彼はまた肉体的に優れ、一日に一二〇キロメートルも走ることができ、手錠の鎖を引きちぎったこともあります。四十歳を超えても、六〇キログラムの米俵を両手に一つずつ持って、手を水平にすることができたといいます。

彼はまた看守との心理戦にも長けていました。網走刑務所では囚人は寝る時に毛布を頭からかぶってはいけない規則になっていましたが、白鳥はいつも頭まで毛布をかぶっていました。看守に見つかってさんざん殴られてもやめませんでした。そして殴る看守に、「お前の当番の時に脱獄してやる」とすごむのです。看守にしてみれば気持ち悪いことこの上もありません。もし自分の当番の日に脱獄されたら、もう出世はできません。それで毛布のことくらいで、白鳥を殴るのはやめようと、大目に見るようになります。実は白鳥はそれを待っていたのです。

というのは、もし独房から逃げることができても、すぐに発見されれば、刑務所の塀を乗り越える前に捕まる可能性があります。そのために看守が独房を覗いても、寝ていると思わせなくてはならないからです。この時間差が奏功して、彼は誰も成功しなかった網走刑務所からの脱獄をやり遂げたのです。まさに全身全霊を脱獄に懸けた男です。

そして最後は札幌刑務所です。ここでは白鳥用に作られた、もの凄く頑丈な独房に入れられます。でも彼は床下の分厚い板を小さい金属片だけで切断し、食器で地下に穴を掘り、そこから脱獄に成功しています。

私はこの『破獄』を読み進めている時に、ふと、何かとてつもなく偉大な物語を読んでいる気になりました。これは単なる脱獄ドキュメントではない、これは一種の寓話だと思ったのです。人はどんなに絶望的な状況にあろうとも、絶対に希望を失ってはならない、そして自由を求めるためにはいかなる戦いも避けてはならない――ここに描かれているのは、そういう物語だと。

白鳥が最後に収監されたのは、東京の府中刑務所です。この時、所長は白鳥の過去の脱獄歴を見て、この男の脱獄を防ぐ手はないと悟ります。そこで白鳥を特別扱いせず、普通の囚人のように扱ったのです。部屋も普通の部屋で、手錠もかけませんでした。白鳥ならもう脱獄し放題です。

ところがなんと、白鳥はついに一度も脱獄を企てることなく、ここで刑期を全うしたのです。

私はここに人間の不思議を感じました。白鳥は、看守たちが絶対に脱獄させないと懸命になればなるほど闘志を燃やし、脱獄を成功させてきました。でも、逃げる気なら逃げればいい、という態度で来られた時、彼の脱獄への執念も消えたのです。

少々長く書いてしまいましたが、**本来は忌むべき犯罪の話も、組み立て方によっては、愉快な話にもなれば、妙に哲学的な話にもなります。ただ、こういう話をする時は、そこに何らかの自分流の考察を入れて締めくくってもらいたいと思います。そうすることによって、犯罪の話も一気に深い話に聞こえるようになります。**

他にも笑える犯罪や感動的な犯罪はいくらでもあります。ぜひそうした話を仕入れて、自分の持ちネタにしてください。

歴史上の有名人の意外な裏話

歴史上の有名人の意外な一面みたいな話も、多くの人の興味を惹きます。

もっとも、そういう話で面白いものはよく知られているという欠点もあります。

でも、そんなことは実は気にする必要はないのです。誰も知らないネタなんてこの世には存在しません。その証拠に、あなたもその話を誰かが書いたり語ったりしているのに接して、知ったのでしょうから。

もしあなたが何人かの前でそういう話を披露して、誰かが「それ、知っている」と言えば、「おお、君も知ってたのか」と嬉しそうに言い、「あれ、面白いよね」と仲間に入れればいいのです。そうすることで、その場であなたと彼だけがその話を知っているという連帯感と、一種の優越感が生まれます。そしてあなたはその話をしながら、彼にも部分的に話させるチャンスを与えてあげればいいのです。その時、もしあなたが知らなかったエピソードを入れてきたら、話は一層面白くなります。

ですから、この話は誰か知っているかな、とびくびくする必要などはまったくないのです。むしろ誰かが知っている方が、細かいところを補正してもらえるという気持ちになればいいのです。

宮本武蔵の新資料発見

たとえば宮本武蔵の話はどうでしょう。

ご存じ、吉川英治の小説で国民的ヒーローとなった剣豪です。二刀流を編み出し、巌流島（がんりゅうじま）で佐々木小次郎を倒した話はあまりにも有名です。

ところでこの時、武蔵が倒した佐々木小次郎は実は六十歳近い年齢だったと言われています。当時の六十歳は大変なおじいちゃんです。対する武蔵は十九歳です（二十九歳という説もあります）。これでは勝負になりません。

なおこの時、武蔵は決闘の時間に遅れてやってきたということになっていますが、これは吉川英治の創作です。この決闘に立ち会った宮本伊織（武蔵の養子）の書き残した碑文には、武蔵は定刻通りに来たと書かれています。もっとも義理の息子の書いたことですから、どこまで正しいかはわかりません。またそこには佐々木小次郎が「物干し竿」と呼ばれる長い刀を使ったのに対し、武蔵は船の櫂（かい）を削って作った木刀を用い、これで小次郎を倒したとあります。これは有名ですね。武蔵の話はこれまでに何度も映画化やドラマ化がされていますが、ラストは必ずこのシーンです。小次郎の長刀に対し、剣ではなく長い櫂で戦うという武蔵の独創性は凄いということになっています。

ですが、私はそれには異議を申し立てたい気持ちがあります。剣術家の試合は日本刀で戦うのが本筋ではないでしょうか。どんな武器を使ってもいいなら、それは剣術の試合ではなく、単なる殺し合いです。櫂で頭を殴って殺すなんて、どう考えても剣術の試合とは思えません。でもこれは私個人の感想なので、皆さんに共感を求めるものではありません。

実は近年、とんでもない文書が発見されました。それは『沼田家記』というものです。細川家小倉藩の家老であった沼田延元が語ったことを、家来が書き残したものです。巌流島の決闘は細川家がセッティングしたものですから、沼田延元は詳細を知っていたか、あるいはその場にいた可能性もあります。

そこには意外なことが書かれていました。

武蔵と小次郎はともに豊前（ぶぜん）の国で剣術師範をしていましたが、双方の弟子がどちらの師匠が強いかを言い争い、ついに二人は巌流島で決闘することになりました。お互いに弟子は連れてこないという約束で、小次郎は約束を守りましたが、武蔵は弟子を何人も連れてきて隠していました。そして弟子たちが集まって小次郎を殺したというのです。衝撃的な内容です。

その後の記述もあります。決闘のあと、小次郎の弟子たちが怒り、徒党を組んで武蔵を倒そうとやってきましたが、武蔵は門司(もじ)へ逃げ、沼田延元に助けを求め、延元は城中に匿(かくま)ったとあります。そして石井三之丞率いる鉄砲隊を護衛に付けて豊後に送り届けたということです。

どうですか、凄くリアリティのある文章ではないですか。実は『沼田家記』が発見される前から、小次郎は武蔵の弟子たちに殺されたという記録はありましたが、『沼田家記』はそれを裏付ける形になりました。

もちろん真相はわかりません。でも、もし六十歳近いじいさんを大勢で寄ってたかって殺したとすれば、武蔵は相当なワルです。

野口英世の啞然とする実像

もう一人、有名人で意外な話をしましょう。

千円札の肖像にもなっている野口英世です。昔の偉人伝には必ず顔を出す有名人の一人です。福島県の貧しい農家に生まれながら、苦学し、アメリカに渡ってロックフェラー医学研究所に勤め、梅毒スピロヘータの培養に成功、小児麻痺（しょうにまひ）や狂犬病の病原菌を発見、さらにアフリカにわたり黄熱病のウイルスを発見するも、ついに黄熱病にかかって死亡する。ノーベル医学賞の候補に二度もなった偉大な研究者で、日本人なら知らない人はいません。

また、子供の頃に左手を大やけどし、農作業ができないために、勉学で身を立てようと必死で努力し、後に左手を手術してもらったことで、自分も医者になって人々を助けようと決意した、という話も有名です。

でも野口の人生を調べると、はたして本当に優れた人物であったのかかなり疑問を感じます。とにかく女好きで、遊び好き、人から借金して、女遊びにつぎ込むことはしょっちゅう。アメリカに渡るのに、金持ちの娘と婚約して、その家から金を引き出したのに、彼女とは結婚しようとしません。野口の手紙には、「彼女は醜いし、学もない」とひどいことが書かれています。彼女の両親は娘が行き遅れになると困るので、早く結婚してくれと、アメリカにいる野口にお願いしますが、野口は「当分、アメリカから帰らない」と返事し、逆に大金を無心しています。結局、野口は彼女とは結婚せずに、金持ちのアメリカ女性と結婚しています。

しかしそんなことは研究者にとってはどうでもいいことです。学者にとって一番大切なのは業績です。ところが野口の業績は、現在ではそのほとんどが否定されているのです。

まず野口がロックフェラー医学研究所で一躍名を上げ、それでノーベル賞候補にもなったのが、それまで世界で誰もできなかった「梅毒スピロヘータの培養」に成功したことです。野口はこれを数えきれないくらい成功させたのです。ところが、野口以外の誰もそれを真似してもできないのです。そして現代に至るもそれを成功させた人はいません。今では「梅毒スピロヘータ」は培養できないというのが医学の常識になっています。

次に小児麻痺と狂犬病の病原菌の発見も、世界で野口が最初といわれていましたが、これも今日では完全否定されています。野口を最も有名にした黄熱病の病原菌の発見も、野口の使っていた顕微鏡ではそれを見つけることが不可能であることがわかっています。他にも野口が発見した病原菌が、実は事実ではなかったケースがいくつもあります。

野口が故意にウソを発表したのか、単なる勘違いであったのかはわかりません。ただ、間違いにしては少し多すぎるような気もします。いずれにしても、今日、世界的にはまったく評価されていない研究者であることは事実のようです。なぜ日本でのみ評価が高く、お札の肖像にまでなっているのかはよくわかりません。

最後に、野口はガーナで黄熱病に倒れたということですが、当時、野口がいたところでは黄熱病は流行っていなかったといわれています。一説には本当の死因は淋病（りんびょう）とも梅毒ともいわれていますが、これも真実はわかりません。

まあ、こんなふうに歴史上の有名人にも意外な話というものは転がっていて、そういうエピソードは話題としては結構盛り上がります。

ただ、気を付けなければいけないのは、スキャンダルを追いかける週刊誌みたいな品のない話にならないようにすることです。

面白い話は基本的に楽しい話、笑える話が一番です。野口英世の話も、相当なうっかりさんと思えば、楽しい話です。

第四章

歴史雑学は多くの人の興味を惹く

多くの人が知っていそうで知らない話や、実は知っていると思っていた知識が間違いであったという話をすると、人々の興味を惹きます。

歴史雑学、特に江戸時代にはその類いの話がふんだんにあります。私は二〇一八年に『日本国紀』（幻冬舎）という日本史の本を著しましたが、その時、日本史をあらためて勉強し直して、新たな驚きや意外な事実を数多く知ることになりました。

江戸時代は歴史的には比較的新しい時代でもあり、また時代劇や時代小説などで、だいたいわかったような気になっている「時代」や「社会」ですが、**実はその多くが完全な誤解であることが多いのです**。

そこでこの章では、『日本国紀』でも取り上げた江戸時代の「へ〜！」と驚く面白い雑学をいくつか紹介しましょう。

江戸時代にまつわる大きな誤解

「藩」という言葉はほとんど使われていなかった

まず私たちが江戸時代を語る時に普通に使う「藩」という言葉ですが、実はこの呼称は江戸時代にはほとんど使われていませんでした。もちろん公式名称でもありませんでした。したがって当時は「藩主」や「藩士」という呼び方もありませんでした。

時代劇や時代小説などではしょっちゅう「藩主」や「藩士」という言葉が出てきますが、それらはまったく時代背景を無視した言葉ということになります。しかしまあ、時代劇や時代小説ではその言い方が「お決まり」になっているので、私もそこに目くじらを立てる気はないですし、私自身の時代小説『影法師』（講談社文庫）も藩という言葉を使わせてもらっています。

時代考証的に正確にいえば、武士たちが自己紹介する時は、主君の名の下に「家臣」や「家中」を付けて名乗っていました。またその土地のことは「国」と呼んでいました。当時、「国」という言葉は一般には日本全体を意味する言葉ではなく、それぞれの地方を意味しました。現代でも「国」という言葉に、故郷や地方という意味があるのはこの名残です。「藩」という言葉が正式に制度名として使われたのは、実は明治元年（一八六八年）です。そのわずか三年後の明治四年（一八七一年）の廃藩置県によって、「藩」は「県」に置き換えられています。つまり「藩」という言葉が公式に使われたのは、わずか三年、しかも明治になってからということなのです。ただ、ここでは便宜上、「藩」という言葉を使うことにします。

大名行列、幕府は過度な出費を抑えようとしていた

江戸時代の大名と聞いて、多くの人が思い浮かべるのは「大名行列」でしょう。お殿様の乗る駕籠（かご）を取り囲むように大勢の警護の侍たちが付き従って街道を練り歩く様は江戸時代の風物詩の一つです。

これは各藩の藩主（殿様）が隔年で江戸に住むことを命じられていたため、二年に一度、藩と江戸を往復しなければならなかったからです（参勤交代）。この時の行列は、戦時の行軍と同じ形態の多人数での行列を組んだので（家ごとに格式と規

模が決められていた）、その旅費および宿泊費も多額なものとなりました。

　私が中学生の頃は、江戸幕府は大名の財政力を削ぐために、このような制度を設けたと習いましたが、実はそうではなかったようです。というのは各大名は参勤交代の行列で家の権威と格式を誇示しようと、派手な大名行列を行なって相当な出費になったようです。幕府はむしろ、無駄な人数による行列は支出が多くなるということで、「身分相応に行なうように」というお触れを出しているほどです。

　とはいえ、各藩もそこは計算しています。派手な行列は人に見せるためのものなので、特に力を入れたのは、自国の城下町を歩く時です。領民には「さすがはうちのお殿様！」と思わせせなくてはならないからです。そこで供の者にエキストラを動員して堂々と敢えてゆっくりと練り歩き、城下町を抜けて町はずれに出るとエキストラはお役御免として、武士たちも派手な正装を脱いで軽装に着替えました。そして人のいない田舎道や山道を行く時はどんどん歩くスピードを速めたということです。大名行列は平均すると一日に約一〇里（四〇キロメートル）進んだということですから、かなりのスピードです。そして江戸に入ると、他の藩や江戸の庶民に見せつけるために、再びエキストラを雇って派手な行列にして、ゆっくりと練り歩いたそうです。当時の大名がいかに対面と見栄を重んじたかということがわかります。

そんな大名行列はもちろん各藩それぞれに違った味わいがあり、当時の江戸の庶民も、華やかな大名行列を見物するのを楽しみとしていました。まあ今日でいえば、ディズニーランドのエレクトリカルパレードの見物に近いものがあったのかもしれません。そうなると各藩も観客（？）を楽しませようと一層派手さを競った一面もありました。

ただ、藩主が通る行列ですから、それなりの厳しいしきたりがありました。行列の前を横切ることは非常に無礼な行為とされ、場合によってはその場での「無礼討ち」も認められていました。しかし実際には先導役の旗持ちがいて、庶民に行列が来ることを知らせるので、そんなことは滅多に起こりませんでした。よく時代劇などで見る「下に〜下に〜」という掛け声の先導者です（なお、実際には「下に〜下に〜」という掛け声は徳川御三家のみに許された特権だった）。面白いのは、飛脚と産婆は列を乱さない限り、大名行列の前を横切ることが認められていたことです。

しかし幕末に起こった「生麦(なまむぎ)事件」（武蔵国橘樹(たちばな)郡生麦村《現・神奈川県横浜市鶴見区生麦》で起こったことからそう呼ばれています）は、そうした大名行列の風習を知らないイギリス人が、薩摩藩の行列の中に馬に乗ったまま割り込んでしまい、行列を無茶苦茶にされて怒った薩摩藩士らによって斬られてしまうという不幸な出来事です。

余談ですが、この参勤交代によって、日本中に街道が整備され、河川や峡谷の架橋、宿場町の発展など、インフラが大いに整い、また庶民の経済や生活にも大きく寄与したといえます。さらに江戸と地方の間で人や文化の交流が盛んになりました。その意味では無駄遣いではなかったといえます。

江戸時代　驚きのエピソード

犬のお伊勢参り

さて、街道が整備され、宿場町が発展していくと、庶民もまた全国を旅できるようになりました。当時、庶民の旅で最も人気があったのが伊勢神宮に参拝する「お伊勢参り」です。江戸の庶民の多くが一生に一度はお伊勢さんにお参りしたいという夢を持っていました。

ところが、いつか行きたいと思っていても、仕事が忙しかったり、生活に追われたりしているうちに、とうとう年老いて身体も弱り、伊勢までの旅はとても無理という人も出てきます。

そんな中で、世にも不思議な現象が出現したのです。それが「犬のお伊勢参り」です。これは、人が飼い犬を連れてお参りするのではなく、病気や老齢のために自力でお参りできなくなった飼い主（人）に代わって、犬が、首にお布施を下げて伊勢まで旅をして、参拝するというものです。

参拝に赴く犬が道中、食べ物や水、休憩場所を与えられたり、道案内をしてもらったり、時には首の巻物が重かろうと持ってあげる人が現れたり、お金を袋に入れてくれたりと、多くの人の助けを得てお伊勢参りを果たし、無事に飼い主のところへ戻ったということです。俄（にわ）かには信じられない話ですが、詳細な記録がいくつも残っています。「犬のお伊勢参り」の最初の記録は、明和八年（一七七一年）、山城国（現在の京都府南部）の高田善兵衛という人の犬が、外宮（げくう）、内宮（ないくう）に参拝したというものですが、この話が次第に全国に広まり、多くの人が真似をしたようで、さまざまな書物に記されています。中には、安芸国（現在の広島県西部）から伊勢にお参りした豚の話まであり、これはさすがに「珍しきこと」と書かれています（『耳囊』）。

面白いのは道中で多くの人から美味しいものを与えられた犬は、飼い主のところに戻ってきた時は丸々と太っていたことが多かったそうです。また皆がお金（銅銭）を入れて重くなった袋が気の毒だからと、わざわざ軽い銀貨で両替してくれる人もいたということです。

「犬のお伊勢参り」の話で何よりも驚くことは、当時の日本の津々浦々の治安がいかに良かったか、市井の人々がいかに暢気な優しさを備えていたかです。貧しく治安の悪い国であれば、犬が首にお金など巻いて歩いていたら、たちまち捕まって金を盗られ、犬も食べられていたでしょう。

この話からは、当時の日本人の物心両面の豊かさはもちろんのこと、現代の日本人にも通じる巡礼者への接し方、動物への独特な接し方をも見ることができます。

余談ですが、犬の代参はその後、全国にも広まり、四国にも「犬の金毘羅山参り」のエピソードがいくつも残っていて、その犬たちは「こんぴら狗（いぬ）」と呼ばれていたそうです。

江戸の町には水道が張り巡らされていた

多くの人が知らない歴史雑学の一つに、「江戸の町には水道が敷かれていた」という事実があります。

実は江戸は大勢の人が住むには不便な土地でした。というのは、江戸の地下水は海水が混じっているために飲料には適さなかったからです。そこで幕府は飲料用の上水道を整備したわけです。今から四百年以上も昔に上水道を敷くという発想が凄い。

上水道の水源は多摩川と井之頭池で、この二つから引かれた水は、地下に埋め込んだ石樋（せきひ）や木樋（もくひ）の水道を通って江戸中に配水されました。ちなみに中央・総武線の駅「水道橋」の名は、神田上水の水門から、川の対岸に水を送るための懸樋（かけひ）の名残です。あの川の上に橋のように水道が通っていたのです。

大名屋敷や大店（おおだな）では、専用の呼び井戸へ水が送られましたが、庶民の住む長屋へは、木樋からさらに細い竹樋を通じて、共同の上水井戸に貯水されました。

ポンプなどもない時代、高低差のみを利用してすべての上下水道を江戸の町中に網の目のように張り巡らせるのには、極めて高度な測量技術と土木技術が不可欠です。トランシット（二点間の角度を測る機械）のような測量機器もない中で、わずかな高低差を計算して地中に石樋や木樋を埋め込んでいくということには恐ろしいまでの技術力と緻密な作業が必要です。

たとえば玉川上水の水源から水門（江戸湾に流れる出口）までの距離四三キロの間の高低差は九二メートルです。これは理論的には四・三メートルの間に九・二ミリの高低差しかないということになります。このわずかな差の下り勾配を正確につけながら江戸中に石樋を敷くなど、まさに神業的な技術です。当時の江戸には、これを成し遂げるほどの優れた技術者が何人もいたのです。余談ですが、最初の水道を敷くのを指揮した大久保忠行は、その功績によって主水という名を与えられていますが、水道の水が濁ってはならぬということで、「もんと」と読みました（主水は通常は「もんど」と読みます）。

江戸の水道で驚くべきことは、長屋や借家に住む庶民は上水道を利用するにあたって一切お金を払っていなかったことです。上水道の維持管理費用は、地主たちが間口(まぐち)に応じて分担金を支払うシステムになっていました。武家屋敷は石高によって分担金が決められていました。

下水道も同じように高低差を利用して作られています。これも地中の木樋内を汚水が通っていくシステムとなっていました（木樋の蓋はどぶ板と呼ばれていました）。木樋も蓋も木で作られていて経年劣化するため、補修が常に必要でした。三百年も前に江戸の町でこれほどのインフラ整備が行なわれていたことにはただただ驚嘆するしかありません。

最終的には江戸は百万都市となりますが、人口が増えていくたびに、上水道と下水道の工事が追加されていたことはいうまでもありません。

なお、飲料用の水道が建設されたのは江戸だけではありませんでした。城下町に上水道を敷いた藩は少なくなく、播磨国赤穂(あこう)（現在の兵庫県赤穂市）の赤穂上水、備後国福山（現在の広島県福山市）の福山上水は江戸の神田上水と並んで、「天下の三上水」といわれました。

世界最高の教育水準

江戸時代が世界に誇るべき文化の一つに寺子屋があります。寺子屋は僧侶や浪人（主家を持たない武士）が寺や自宅で子供たちを教育する庶民のための施設です（寺子屋の名称は本来は上方のもので、江戸では「筆学所」「幼童筆学所」と呼ばれた）。謝儀という授業料と、入学時にわずかばかりの束脩（入学料のようなもの）を払い、あとは盆と正月の差し入れがありました。江戸時代中期（十八世紀）から農山漁村に広がり、その数は幕末には全国で一万五〇〇〇以上にもなっていました。明治になって義務教育制度ができた時、地方では、寺子屋が小学校の校舎として使われています。

寺子屋で教えたことは「読み書き・算盤」が基本でしたが、他に『国尽』などの地理書、『国史略』『十八史略』などの歴史書、『百人一首』『徒然草』などの古典、「四書五経」『六諭衍義』などの儒学書、『庭訓往来』『商売往来』などといった往来物の他、時代により、また教師によって多岐にわたる書物が教材とされました。就学率は地方によって差がありますが、江戸では七〇～八〇パーセントだったったといわれています。江戸時代の庶民が世界一高い識字率を誇り、世界でも類を見ないほど高い教養を持ったのも自明です。

武士の子弟は、藩に作られた藩校で学びました。ここでは寺子屋よりもレベルの高い教育が施されていました。水戸の弘道館、長州の明倫館、薩摩の造士館など名門校がいくつもあり、幕末には優秀な者を多数輩出しました。その他にも蘭学や医学を教える私塾が全国にあり、向学心に燃える若者たちが通いました。江戸時代の日本は非常に教育水準の高い国だったのです。

自虐史観の傾向が強い歴史学者の中には、江戸時代の識字レベルは名前が書ける程度のもので、寺子屋の教育レベルも優れたものではなかったという人がいますが、当時の出版物の内容の高さや出版点数の多さから見て、江戸の庶民はかなりの教育水準にあったのは間違いないことです。

特に驚くのは江戸の庶民が数学好きだったことです。寛永四年（一六二七年）に吉田光由が著した『塵劫記』は、面積の求め方やピタゴラスの定理まで書かれた数学の本ですが（関孝和もこの本で勉強した）、これが江戸時代を通してのベストセラーかつロングセラーとなっています。幕末までに四〇〇種類もの『塵劫記』が出版されたという事実を見ても、当時の庶民の知的好奇心の高さ、数学好きの度合いがわかります。

その顕著な例が算額（さんがく）です。算額とは、庶民が自分で考えた数学の問題を額や絵馬に書いて神社仏閣に奉納したものです（解答の算額もある）。中には現代の専門家を悩ますような難問もあるというから驚きます。代表的なものの一つが神奈川県の寒川神社（さむかわじんじゃ）に奉納された算額で、ここにはノーベル化学賞を受賞したイギリスのフレデリック・ソディが一九三六年に発表した「六球連鎖（ろくきゅうれんさ）の定理」と同じものが問題として出されています（解答もあり）。「六球連鎖の定理」の説明は省きますが、とてつもなく複雑な数式を用いた難解なものです。この定理をソディが発表するよりも百年以上も前に日本の和算家が発見していたというのは驚嘆すべきことです。

そもそも算額を奉納するような習慣は世界に例がなく、日本の江戸時代特有の文化です。現在、一〇〇〇枚近い算額が発見されており、重要文化財に指定されているものもあります。江戸時代の庶民が数学を勉強したのは、出世や仕事のためではありません。もちろん受験のためでもありません。純粋に知的な愉しみとして取り組んだのです。世界を見渡してもこんな庶民がいる国は他にありません。

バカ殿？　綱吉

徳川幕府の第五代将軍の綱吉は「犬公方(いぬくぼう)」のあだ名で知られています。というのは例の悪名高い「生類憐み(しょうるいあわれみ)の令」で犬をはじめ多くの動物の命を異常に大切にしたからです。

そもそもこの令は儒教や仏教に則(のっと)って弱者へのいたわりを重んじ、生き物の命を粗末に扱ってはならないという精神から出されたものですが、綱吉は少々やりすぎました。何しろ犬や猫などの動物を殺した者は死罪や切腹。さらには釣りをしただけで流罪になったり、鳥が巣をかけた木を切って処罰されたりと、明らかに常軌(じょうき)を逸しています。

綱吉のバカ殿ぶりはそれだけではありません。「鶴字法度(はっと)」という信じられない令も出しています。これは綱吉が長女の鶴姫を溺愛したあまり、庶民が自分の娘と同じ「鶴」の字を使うことは許さん、という令です。このため名前に「鶴」の字が入った人や店は改名を余儀なくされました。有名なところでは、『好色一代男』で知られる俳諧師の井原西鶴(さいかく)は雅号を西鵬(さいほう)と改名し、京都の老舗(しにせ)「鶴屋」は「駿河屋」と屋号を変えました。

また綱吉は能を舞うのが異常に好きで、陰で「能狂」と呼ばれるほどでしたが、その舞はとても上手とは言えないものだったようです。しかし本人はそのことに気付かず、江戸城内でも家臣たちに頻繁に披露しただけでなく、大名の屋敷や寺社を訪れた際も能を舞うのが常でした。そのため大名や家臣たちは、綱吉に会うと、「能をお見せください」とリクエストしなければなりませんでした。おそらく綱吉はご機嫌で能を舞ったことでしょう。

それだけなら周囲の人間は見ているだけで済んだのですが、厄介なことに綱吉は側近や大名にも能を舞うことを強制したのですからたまりません。貞享（じょうきょう）三年（一六八六年）に江戸城において能の大きな催しが行なわれましたが、錚々（そうそう）たる大名が綱吉の命を受け、慌てて稽古に励んで能を舞ったといいます。こうなると、もうまるで落語の世界です。

幕末の大名、幕臣、藩士たち

「桜田門外の変」に遭遇した彦根藩士たちのその後

江戸城の玄関口で大老が暗殺されるという前代未聞の事件「桜田門外の変」が起こったのは一八六〇年三月です。

大老であった彦根藩主の井伊直弼（いいなおすけ）の行列は、護衛の藩士は二六人、さらに足軽や中間（ちゅうげん）を含めると六〇人近くいましたが、わずか一八人の刺客（暗殺者）に藩主の首を取られています。

普通に考えると刺客側にとっては不利な状況ですが、そうならなかったのは、当日は季節はずれの雪が降っており、彦根藩の侍たちは刀の柄（つか）と鞘（さや）に袋をかぶせていたために抜刀するのに手間取ったのです。そもそも護衛のために付いていた侍が刀の袋をかぶせていたというのが何とも間が抜けています。さらに、刺客の襲撃と同時に少なくない藩士が逃走したとも伝えられています。戦国時代、「井伊の赤備え（あかぞなえ）」

と他家に恐れられ、武勇の誉れ高い井伊家の藩士たちも、二百五十年も続いた太平の世の中で、侍の覚悟を失っていたのでしょう。

ちなみに井伊直弼は居合の達人で、この時四十四歳、もし刀を抜いて刺客と立ち合っていれば、刺客側も彼を斬るのは相当に苦労したとは思われますが、実際は駕籠の外から発射された拳銃が致命傷となりました。

余談ですが、殿様を守れず、むざむざと首を取られたのですから、この時の警護の侍たちには重い罪が与えられました。死亡した八人の彦根藩士はお家断絶を免れましたが（息子の跡目相続を許された）、重傷者の五人は主君を守れずに家名を辱めたということで、下野国に流され、軽傷だった者は切腹、無傷の者は斬首で、いずれもお家断絶の処分を受けました。

彼らは「変」が起きる朝は、まさか自分の身にそんなことが起きるなど思いもしなかったことでしょう。いつものように屋敷から江戸城までの行列をルーティンのようにこなしていたのでしょう。浪士たちが襲撃する直前まで、彼らの頭の中にあったのは「なんで三月なのに雪が降るんや。こんな日に行列の護衛の番が回ってくるとはついてないで」くらいだったのかもしれません。もしその日に何事も起こらなければ、記憶にも残らない日だったことでしょう。そう考えると、人間の不幸とはいつどんな時にやってくるものかわかりません。

蒸気船を作った三つの藩

尊皇だ、攘夷だ、討幕だ、と日本中が揺れに揺れていた幕末に、三つの藩が独自に蒸気船を作り上げたという事実も、意外に多くの人が知りません。

その一つが佐賀藩です。文政十三年（一八三〇年）、十五歳の若さで藩主となった鍋島直正は、まず破綻（はたん）していた財政を立て直すため、役人を削減し、磁器・茶・石炭などの産業振興に力を注ぎ、農民には小作料の支払いに猶予を与えて農村を復興させました。また教育予算を拡大し、藩校「弘道館」を充実させ、藩の改革の担い手となる者を育成しました。そして出自にかかわらず優秀な人材を積極的に登用しました。

直正の凄いところはそれだけではありません。嘉永三年（一八五〇年）、鋳物（いもの）や鍛冶（かじ）の優れた職人を集め、反射炉を作りました。反射炉とは、耐火煉瓦（れんが）を積み上げた塔の内部で燃料を燃やして銑鉄（せんてつ）を高温で溶かし、それを鋳型に流し込んで大砲を作る施設です。これがなければ強い鉄を作ることができません。しかし何度も失敗を繰り返し、担当の家老は切腹を申し出ますが、直正はそれを押しとどめ、成功するまでやり抜くように命じました。そして苦労の末についに西洋の最新式の大砲であるアームストロング砲とほぼ同じものを日本人の手だけで完成させました。

また嘉永五年（一八五二年）、黒船来航の前年、直正は独自に理化学の研究・実験をする施設である精煉方を設置し、蘭書を研究して、火薬・弾丸・ガラス・石炭・せっけん・写真機などを作っています。この精煉方の事業には膨大な費用がかかり、藩の重臣は経費節減のため廃止を主張しますが、直正はそれを退けて研究開発を続けさせました。

こうしたことを黒船が来る前にやっていたという事実に、私は驚きを禁じえません。直正はヨーロッパに対抗するためには近代的な科学技術が不可欠だと考えていたのでしょう。

慶応元年（一八六五年）、佐賀藩はついに日本で初の実用蒸気船「凌風丸（りょうふうまる）」を完成させました。実際の蒸気機関の構造を見たこともないのに、本と図面だけで、同じものを作り上げたのです。これは驚異的な偉業です。

この時、大きな働きをしたのが「からくり儀右衛門」の異名を持つ田中久重（儀右衛門は幼名）です。田中は非常に高度なテクノロジーを用いたからくり人形を作って全国で興行し、人気を博した発明家であり興行師でもありましたが、五十代の時に佐賀に居を移し、佐賀藩の精煉方に入りました。田中はそこで蒸気機関車と蒸気船の模型を作ったのです。

余談ですが、田中の作った「弓曳童子」というからくり人形は、ゼンマイを巻くだけで、左手に弓を持った童子が右手で矢を取り、弓に矢をつがえて放つという一連の動作を演じる人形です。その複雑な動きは現在のエンジニアが見ても驚嘆するほどのものです。また彼の作った「万年自鳴鐘」という時計は、一度ゼンマイを巻けば一年間動き続けるというもので、しかも太陽と月の動き、二十四節気、曜日、十干十二支、月齢などを同時に表示するという当時としては驚異的な時計です。田中は明治になって東京に移り住み、七十五歳の時に工場兼店舗を構えます。この会社が後に東京芝浦電気株式会社を経て、現在の株式会社東芝になりました。

佐賀藩に先駆けて日本初の蒸気船を作ったのは薩摩藩です。もっともこの蒸気船は、アメリカから帰国した中浜万次郎の知識をもとに作った越通船と呼ばれる和洋折衷船に、蒸気機関を搭載した実験船です。これを見たオランダ海軍軍人ヴィレム・ホイセン・ファン・カッテンディーケは、「簡単な図面を頼りに蒸気機関を完成させた人物には非凡な才能がある」と驚いています。後の薩英戦争でイギリス軍を苦しめたのは、先進技術を取り入れていた島津斉彬の政策に負うところが大きいと言われています。

四国の宇和島藩も蒸気船を作るのに成功した藩です。江戸から宇和島に戻る途中にペリーの黒船を見た藩主の伊達宗城は、西洋の技術の高さに驚きます。そして帰藩するとただちに家臣に「我が藩でも蒸気船を作るように」と命じます。

家臣たちは何とかそれを作れる人材を城下に探しますが、そんな人物がいるわけがありません。それで「手先が器用で何でも作れる」という評判の仏具職人（提灯屋でもありました）前原嘉蔵（後の前原巧山）という人物を城に連れてきます。嘉蔵はもちろん西洋のテクノロジーなど何も知りません。

ところが嘉蔵は長州の医師の村田良庵（のちに長州藩士、改名して大村益次郎）の翻訳したオランダの本と図面だけを見て、不眠不休で蒸気機関の模型を作り上げました。それを見た宗城はすぐさま彼を藩士として召し抱え、今度は本物の蒸気船を作れと命じました。こののち、嘉蔵は苦労の末に見事に小型の蒸気船を作り上げました。ペリーが黒船で来航してわずか六年後のことです。

作家の司馬遼太郎は「この時代宇和島藩で蒸気機関を作ったのは、現在の宇和島市で人工衛星を打ち上げたのに匹敵する」と書いています。嘉蔵も見事ですが、それを見つけてきた宇和島藩の家臣も、また一介の提灯屋であった彼を武士として召し抱えた藩主も素晴らしい。なお村田良庵は宇和島藩で蔵六と名乗って蒸気船作りに携わり、その後長州藩に戻って戊辰戦争(ぼしんせんそう)で大活躍することになります。

この三つの藩の偉業を前にして私が思うのは、日本人は昔から好奇心の塊で、またすぐに新しいものを取り入れる柔軟性があり、しかも創意工夫の精神に富んでいたということです。この時代、西洋の蒸気機関はアジアやアフリカの諸国民も見ていましたが、彼らはその技術に驚きはしても、これと同じものを作ろうとした国も民族もありません。しかし日本では三つの藩があっという間にこれを自力で作ったのです。

明治に入って日本は驚異的なスピードで近代化を達成しますが、その萌芽はすでに幕末の頃からはっきりと現れていたと言えます。

咸臨丸の一行たち

安政七年（一八六〇年）一月、江戸幕府はアメリカ合衆国に初めての使節団を送りました。

この時のメンバーには勝海舟や福沢諭吉などがいましたが、日本史の教科書にはあまり出てこない人物がアメリカ人を驚嘆させています。

たとえば目付だった小栗忠順（ただまさ）です。一両小判とドル金貨の交換比率を定める為替レート交渉という任務を負っていた小栗は、アメリカの造幣局において、アメリカ人技師たちの前で小判とドル金貨のそれぞれの金含有量を測ってみせます。この時、アメリカ人技師たちは小栗が使った天秤の精密さに驚いたとあります。

次に小栗は金の含有量を算盤でたちどころに計算してみせますが、アメリカ人技師たちは初めて見る算盤の計算を信用せず、ペンで紙に筆算しました。その間、小栗は悠々とキセルをくゆらせていたそうです。ところがアメリカ人技師たちがようやく計算を終えて出した数字は小栗が数分前に算盤ではじき出した数字とぴったり一致したことで、彼らはその正確さと速さに舌を巻いたそうです。おそらく彼らは遅れたアジアの小国からやってきた男がそんな高度な技を持っているとは思ってもいなかったのでしょう。

私が好きなのは咸臨丸（かんりんまる）の提督であった木村喜毅（よしたけ）総督のパフォーマンスです。サンフランシスコに入港した咸臨丸の見学に、地元の上流階級の人々が訪れましたが、この時、女性たちも多くいました。しかし幕府の軍艦は女人禁制であり、木村は女性たちの乗船を断わりました。すると彼女たちは怒り、今度は日本人を欺（あざむ）こうと男装で訪れ、まんまと乗船して艦内を見学しました。

女性たちが船を降りようとした時、木村は全員にお土産として紙包みを渡しました。彼女らが船から降りて紙包みを開けると、そこには美しい簪（かんざし）が入っていました。この粋なはからいに、女性たちが感激したのはいうまでもありませんが、サンフランシスコ市民も喝采を送りました。このことで日本人の株が一気に上がったといわれています。

ちなみに木村は、出港前に家に伝わる家宝を売り払って小判とアメリカ金貨に換えて訪米中の諸雑費にあてていますが、この簪もそうして購ったものでしょう。木村は国を背負って立つという任務のために私財を擲ったのです。今の政治家の人たちに是非知ってもらいたいエピソードです。木村は維新後、明治新政府から士官の誘いを受けますが、それを断って生涯貧しい隠居生活を送っています。

小笠原領有——米国・英国と交渉を行なった水野忠徳

幕末の幕臣であった水野忠徳も日本史で語られることは多くありませんが、日本にとって忘れてはならない重要な人物です。というのも、彼がいなければ、現在、日本の領土となっている小笠原諸島は日本のものではなくなっていたからです。

江戸幕府の旗本であった忠徳は、長崎奉行時代に幕府海軍創設に奔走し、外国奉行時代は安政二朱銀を発行して金貨の海外流出を防ごうとするなど、日本を外国から守るために尽力した有能な官吏ですが、彼の最大の功績は小笠原諸島を守ったことです。

江戸幕府は寛文十年（一六七〇年）には小笠原諸島の存在と位置も把握していましたが、当時の日本は遠洋航海ができる船を持っていなかったため、江戸から一〇〇〇キロも離れている同諸島を管理することはできず、長らく無人のまま放置していました。

小笠原諸島は国際的にその帰属も明確ではありませんでしたが、十九世紀以降、同諸島に外国の捕鯨船がたびたび寄港するようになり、文政十年（一八二七年）に難破したイギリス人の捕鯨船の乗組員の二人が住みつき（同島での初めての定住者）、三年後の文政十三年（一八三〇年）には、アメリカ人ら五人がハワイ系の人々二十数人とともに入植しました。

一八五〇年代には、ペリーが寄港してアメリカ人住民の一人を小笠原の植民地代表に任命しています。同じ頃、イギリスが諸島の領有権を主張し、両国は領有権で衝突します。本来なら小笠原諸島はどちらかの国の領有になっていたでしょう。

この時、小笠原諸島の領有権確保のため現地に赴いたのが水野忠徳でした。文久元年（一八六一年）、幕府の軍艦「咸臨丸」で小笠原諸島に上陸した四十六歳の忠徳は、島々の測量等の調査を行なうと、欧米系の島民に対して、彼らの保護を約束して日本の領土であることを承認させます。その一方、アメリカとイギリスに対して、小笠原諸島の領有権が日本にあることを認めさせたのです。

外国人が居住していた島であり、二大国が領有権を主張していたにもかかわらず、島の領有権を認めさせたというのは一流の外交手腕といえます。ちなみにこの時の通訳を務めたのが、有名なジョン万次郎（中浜万次郎）です。

明治九年（一八七六年）、日本政府は各国に小笠原諸島の領有を通告、正式に日本領土となりました。明治十三年（一八八〇年）、小笠原諸島は東京府の管轄となり、居住していた外国人たちは全員、日本国籍を取得しました。

小笠原諸島は希少な自然が残る美しい島々ですが、重要なのは自然だけではありません。二十一世紀の今日、日本の広大な排他的経済水域（領海含め世界六位の約四四七万平方キロメートル）の約三分の一は、小笠原諸島を中心とする海なのです。その海洋資源と海底資源は膨大なものがあります。もちろん当時の忠徳がそれらを知るはずもありません。しかし彼は領土・領海の持つ価値と重要性を十分に理解していました。だからこそ島に乗り込み、領有権を確保したのです。もし忠徳がいなければ、小笠原諸島と周辺の海は外国のものとなっていたでしょう。

ヨーロッパ人を驚かせた幕末の日本人

江戸の楽しいエピソードの最後は、当時の庶民が欧米人にどう見られていたかという話を紹介しましょう。

幕末から明治にかけて、多くのヨーロッパ人やアメリカ人が日本を訪れましたが、彼らの多くが初めて見る日本の社会や文化に驚き、書き残しています。中には批判的なものもあれば、嫌悪の目で見た記述もあります。また一部には有色人種を一段下に見た侮蔑的な視点のものもあります。しかし彼らが一様に感銘を受けていることがあります。それは日本の民衆の正直さと誠実さです。

トロイアの遺跡を発見したことで知られる考古学者のハインリヒ・シュリーマンは、慶応元年（一八六五年）に日本を訪れています。彼は日本へ来る前に訪れた清（中国）では常に中国人から法外な料金をふっかけられていたのに対し、日本の渡し船の船頭たちが正規の料金しか要求しなかったことを、驚きをもって書き残しています。

また、横浜から入国する際の日本人の誇りある態度にも感銘を受けています。入国の際には禁制品の持ち込みがないかを調べるために荷物を解かなければなりませんが、シュリーマンは作業を免除してもらおうと税官吏にこっそりお金を渡そうとしました。ところが二人の税官吏は自分の胸を叩いて、「ニッポンムスコ」と言い、受け取りを拒んだというのです。つまり「自分たち日本人は賄賂（わいろ）のようなものは受けない」と意思表示をしたのです。そして二人の税官吏はシュリーマンを信じ、解いた荷物の上だけを見て、通してくれました。

初代駐日イギリス総領事・公使のラザフォード・オールコックは、日本の役人たちにはなかなか辛口な評価を与えていますが、一般庶民については、まったく別の見方をしています。

ある日、オールコックは大事に飼っていた犬を旅先の事故で失います。彼が宿屋の経営者に、美しい庭に犬を埋葬してもいいかと訊ねると、主人は快く了承したばかりか、多くの人とともに墓を掘って丁寧に埋葬しました。まるで自分たちの家族が亡くなったようにともに悲しんでくれたと、オールコックは感動をもって書き残しています。

明治の初期に日本を旅したイギリスの著名な女性旅行家イザベラ・バードは、「日本ほど女性が一人で旅しても危険や無礼な行為とまったく無縁でいられる国はない」と旅行記に記しています。バードは世界中を旅してきた女性ですが、「ただの一度として無作法な扱いを受けたことも、法外な値段をふっかけられたこともない」経験は、日本を訪問した時だけでした。

こんなエピソードも書き残しています。ある日、馬子（まご）（馬を引いて人や物を運ぶ人）とともに旅したバードは、途中、一本の革帯を紛失しました。すると馬子は、日が暮れていたにもかかわらず、一里（四キロ）も引き返して革帯を探してくれました。バードがその分の金を払おうとすると、馬子は「旅の終わりには何もかも無事な状態で引き渡すのが自分の責任だから」と言って、一銭も受け取りませんでした。これに似た経験を何度もしたバードは、「彼らは丁重で、親切で、勤勉で、大悪事とは無縁です」と書いています。

同じく明治初期の話ですが、大森貝塚を発見したことで知られるアメリカの動物学者エドワード・モースは、瀬戸内地方を旅したある日、広島の旅館に、金の懐中時計（かいちゅうどけい）と銀貨・紙幣を預けて、遠出をしようとしました。すると旅館の女中は、それらを盆に載せて、モースの部屋の畳の上に置きました。部屋はふすまで仕切られているだけで、鍵はありません。入ろうと思えば客でも女中でも簡単に出入りできます。モースが宿屋の主人に、これでは盗まれる恐れがあると言うと、主人は「大丈夫です」と答えました。

不安をぬぐえないモースでしたが、ここはひとつ日本人の性格を見てやろうと、そのまま遠出しました。一週間後、旅館に戻ったモースは、心底から驚くことになります。盆の上には、金時計はいうに及ばず、小銭に至るまでそのままで残されていたからです。

幕末から明治にかけて日本を訪れた欧米人の書き残したものには、こんな話が山のように出てきます。私は何もすべての日本人がそうであったと言うつもりはありません。江戸時代の日本にも凶悪犯罪はありましたし、不誠実な犯罪者はいました。**しかし幕末から明治にかけて日本を訪れた外国人たちが驚きと感動を持って、「誠実で、嘘をつかず、優しい心を持っていた」日本人のエピソードを書き残したことは紛れもない事実です。**それらの記録を読む時、私は自分たちの祖先を本当に誇らしく思います。

ここに紹介したのは拙著『日本国紀』の「江戸時代」の章に書いたものですが、それ以外の章（時代）にもさまざまな興味深いエピソードが、時代ごとに驚くような話がふんだんに書いてあります。興味のある方は是非、お読みください。

第五章

親友とする真面目な話

この本のテーマは「いかに面白い話をするか」です。

でも私は、話というのは、ただ面白いことしか喋らないというだけではダメだと思っています。時には、親しい友人であっても、意見の衝突があるような話もすべきだと思っています。いや、親しい友人だからこそ、とことん本音で語り合うことも必要ではないかと思っています。楽しい話で盛り上がるだけではテレビのバラエティ番組と変わりません。

欧米では友人同士でも政治論争や歴史認識の議論はよく行なわれるといいます。でもなぜか日本では仲間内でそんな話はまず出ません。というか、そういう話題は一種のタブーとなっています。ですから、飲み会の時でも、深刻な話や賛否が分かれる話は、皆が避けます。

この本でも、私は誰もが楽しめる「面白い話」を選んで書いてきたつもりです。でも、そんな話ばかりではつまりません。

実は私自身は、仲間内でも敢えて穏やかではない話もします。時にはその話がきっかけで論争になったり、険悪な空気になったりすることもあります。でも、私はそういうことも必要だと考えています。

そこで私はこの本で敢えてタブーに挑戦する形で、三つの話をします。

一つめは「南京大虐殺（ナンキン）」の話です。

日本人の中には今も「南京大虐殺」が本当にあったと思っている人が少なくありません。断言しますが、これは完全な捏造（ねつぞう）です。もっとも真実だと固く信じ込んでいる人を完全論破することは非常に難しいことです。そういう人たちは一種の洗脳を受けているので、一時間や二時間の論争でそれを解くのはまず不可能です。

ですが大半の人は、よく知らないままに、「新聞やテレビがあったと言うんだから、あったんだろう」という認識しか持っていません。そういう人に、私が以下に述べる情報を伝えるだけで、たいていの人が「ええっ、そうなの？」と驚き、自分は実は何も知らなかったという意識を持ってくれます。

といっても、私が今から語る内容は別に秘密の話でもなんでもありません。いわば常識のような話ですが、実は世の中の人の大半は知りません。

殺害された市民の数は、全人口より多い？

計算が合わない

「南京大虐殺」は、一九三七年の十二月に日本軍が南京を占領した直後から六週間にわたって、南京市民を虐殺した事件ということになっています。この事件は当時、蔣介石が子飼いのアメリカ人ジャーナリストたちを使って盛んに宣伝しました。南京大虐殺を肯定する人たちは、彼らの報道を証拠として挙げますが、その報道をしたのは一部のアメリカ人記者だけです。当時、南京にはそれ以外の各国の特派員たちが大勢いたにもかかわらず、この事件を報道した記者はいません。三〇万人の大虐殺となれば、世界中でニュースになったはずです（現在の中国政府の発表では三〇万人の虐殺となっています）。

また同じ頃、南京政府が調べた人口調査によれば、占領される直前の南京市民は二〇万人でした。これは公式記録として残っている数字です。**二〇万人しかいない**

街の住民をどうやって三〇万人も殺せるというのでしょう。

もう一つおかしなことは、日本軍が占領してから一ヶ月後には南京市民は二五万人に増えていることです。日本軍が仮に一万人も殺していたら、住民は蜘蛛の子を散らすように街から逃げ出していたでしょう。南京市民が増えたのは、街に治安が戻ったからにほかなりません。

もちろん一部で日本軍による殺人事件や強姦事件はあったでしょう。それは許された行為ではありません。ただ、それをもって大虐殺があったといえるでしょうか。

今日、日本は世界でも最も治安のいい国といわれています。それでも殺人事件や強姦事件は年間に何千件も起こっています。ちなみにアメリカでは毎年、殺人と強姦を合わせると十数万件も起こっています。平均すると一日約三五六件です。これは戦争もない平和な状態での犯罪です。ましてや当時は警察も法律も機能しない状況下です。平時の南京では起こらなかったいたましい事件も起こったかもしれません。

私は何も日本軍を弁護しようとはしていません。こうしたことが起こるのが戦争です。たとえば戦後、アメリカ軍兵士が日本女性を強姦した事件は二万件にのぼります。泣き寝入りして被害届を出さなかったケースを考えると、実際の被害者はその何倍にものぼるでしょう。また米兵に殺された日本人も少なくありません。決して許されることではありませんが、占領下という特殊な状況においては、平時よりも犯罪が増えるのは仕方がないところです。ですから南京において、個々の犯罪例が一〇〇例や二〇〇例あろうと、それだけで大虐殺があったという決定的証拠にはならないのです。

三〇万人の大虐殺というからには、それなりの物的証拠が必要です。しかし今日に至るもそれらはまったく出てきません。ナチス・ドイツが行なったユダヤ人虐殺は夥しい物的証拠（遺体、遺品、ガス室、殺害記録、命令書、写真その他）が多数残っており、今日でもなお、検証が続けられています。でも南京大虐殺には伝聞証拠以外に物的証拠はないし、今に至るも何の検証も行なわれていません。証拠写真の大半は、別事件の盗用ないし合成による捏造であることが証明されています。

そもそも日中戦争は八年も行なわれていたのに（満州事変から数えれば十四年）、南京市以外での大虐殺の話はありません。八年間の戦争で、わずか六週間だけ、日本人が狂ったように中国人を虐殺したというのでしょうか。

　また東京裁判では、上官の命令によって一人の捕虜を殺害しただけで絞首刑にされたBC級戦犯が一〇〇〇人もいたのに、三〇万人も殺したはずの南京大虐殺では、南京司令官の松井石根（いわね）大将一人しか罪を問われていません。規模の大きさからすれば、本来は虐殺命令を下した大隊長以下、中隊長、小隊長、さらに直接手を下した下士官や兵などが徹底的に調べ上げられ、何千人も処刑されていなければおかしいはずです。でも現実には、処刑されたのは松井大将一人だけです（B級戦犯として）。また日中戦争当時、国民党の総統であった蔣介石が、後に松井大将に対して「申し訳ないことをした」と語っている事実があります。

南京大虐殺の復活

　奇妙なことはまだ続きます。東京裁判で亡霊のごとく浮かび上がった「南京大虐殺」は、それ以降、再び歴史の中に消えてしまうのです。

　南京大虐殺が再び姿を現すのは、東京裁判の四半世紀後です。一九七一年、朝日新聞の本多勝一記者が「中国の旅」という連載を開始し、そこで南京大虐殺のことを取り上げ、日本人がいかに残虐なことをしてきたかということを、嘘とデタラメを交えて書いたことがきっかけとなったのです（後に本多自身が「『中国の視点』を紹介することが目的の『旅』であり、その意味では『取材』でさえもない」と語っています）。

この連載が始まった途端、朝日新聞をはじめとする左翼系ジャーナリズムが「南京大虐殺」をテーマにして「日本人の罪」を糾弾する記事や特集を組み始めました。そうした日本国内での動きを見た中国政府は、これが外交カードに使えると判断し、それ以降、執拗に日本政府を非難することになったというわけです。本多勝一の本が出るまで、毛沢東も周恩来も、また中国政府も一度たりとも問題にせず、日本を非難しなかったにもかかわらずです。

論理学の世界では「なかったこと」を証明するのは「悪魔の証明」といわれて、極めて難しいことです。ですから、私が今いくつか書いたことも、「なかったこと」の証明にはなりません。ただ、普通に考えれば、なかったと考える方が自然です。

刑事訴訟法では、事件があったと主張する方が、それを証明しなければなりません。ですが、今日においても「南京大虐殺」はあったと主張する方がまったくそれを証明していないのが現実です。

一人の男の虚言が大問題を生んだ

吉田証言の衝撃

「従軍慰安婦」の問題も「南京大虐殺」と同様、デマから生まれたものです。

ちなみに「従軍慰安婦」という言葉は戦後、左翼系ジャーナリストが作った造語です。当時は単に「慰安婦」と呼ばれました。一九四〇年頃、中国に渡航する慰安所関係の公文書には、「芸娼妓、女給仲居、女中、酌婦、芸妓」と書かれています。

この問題も南京大虐殺と同様、発信は朝日新聞です。実は戦後四十年近く、日本と韓国の間に「慰安婦問題」などはまったく存在しませんでした。これが世に知られるようになったのは、一九八二年に、朝日新聞が吉田清治（せいじ）という男の証言を記事にしてからです。

その証言の内容は衝撃的でした。吉田は軍の命令で、済州島（さいしゅうとう）で泣き叫ぶ朝鮮人女性を木刀で脅し、かつてのアフリカの奴隷狩りのようにトラックに積み込んで慰安婦にしたというものです。天下の朝日新聞が報道したのですから、日本中が驚愕しました。

これ以降、朝日新聞は日本軍が朝鮮人女性を強制的に慰安婦にしたという記事を執拗に書きます。吉田証言だけで一六回も記事にしています。さらには、親にキーセンに売られて慰安婦になった女性を、「日本軍に騙されて慰安婦にされた」とする捏造記事まで書きました。

ちなみに吉田証言はすべて嘘であったことはすぐに明らかになりました。根も葉もないホラ話だったのです。吉田自身が後に「あれは小説」と語っています。にもかかわらず、朝日新聞がこの訂正記事を書いたのは、三十二年後でした。

その間、朝日新聞の大キャンペーンにより、左翼系ジャーナリストや文化人たちが、日本軍の「旧悪」を糾弾するという形で、従軍慰安婦のことを大きな問題にしました。それを見た韓国が「これは外交カードに使える」と見て、日本政府に抗議を始めたのです。戦後四十年以上、一度も抗議してこなかったにもかかわらずです。

以上が、「慰安婦」問題をめぐる経緯ですが、実際のところ、はたして軍の強制があったのでしょうか。

吉田証言はすべて嘘であったことが明らかになりましたが、**左翼系ジャーナリストや文化人などは、吉田証言は別にして、日本軍が朝鮮人女性を強制的に慰安婦にしたと主張し、その証拠を必死になって探しました。ところが懸命に探したものの、現在まで証拠はまったく見つかっていません。**

左翼系文化人の中には「軍が証拠隠滅した」と言う人もいますが、そんなものを完璧に消し去るのは不可能です。軍というのは官僚システムで動きます。仮に民間業者に命じたとしたら、議事録、命令書、予算書、報告書、人事名簿、受領書、請求書、領収書など、夥しい書類が必要です。もちろん双方の帳簿も大量に残っているはずです。軍は勝手に金を動かせません。軍というのは戦闘中以外はトラック一台動かすのにも、いちいち書類が必要なのです。当時は軍用機の搭乗員たちはたとえ練習で飛んでも、飛行記録をすべて残す義務があったほどです。もし軍が直接行動したなら、慰安婦を狩るために動いた部隊、実働人員、収容した施設、食料などを記した書類も大量にあるはずです。それらがすべて煙のように消えてしまうなどありえません。もしそんなことが可能なら、戦後に捕虜の処刑に関係したＢＣ級戦犯が一〇〇〇人も絞首刑にはなりません。

もう一つ、皆さんに知ってもらいたいことがあります。それは**戦時慰安婦の大半が日本人女性だったということです。**朝鮮人女性は二割といわれています。当時は日本も朝鮮も貧しかったのです。貧困の中で身を売らねばならなかった女性たちが少なくなかったのです。これが戦時慰安婦のすべてです。

吉田清治とは何者か

ところで、日本中を騒がせた吉田清治という男は実に謎の多い男なのです。吉田清治は本名を吉田雄兎(ゆうと)といいます。吉田清治はペンネームです。生まれたのは一九一三年(大正二年)ということですが、実はこれもよくわかっていません。本人は山口県出身と言っていますが、福岡県出身という情報もあります。

また一九三〇年代から一九七〇年代まで、彼の経歴が一切わからないのです。というのも彼が語る経歴(働いていた会社や組織)を調べていっても、そこには吉田がいたという記録がどこにもないからです。また、朝日新聞の記事で一躍有名になったにもかかわらず、吉田清治の若い頃を知っているという人物はまったく出てこなかったのです。

法政大学を出たと自称していますが、大学には吉田雄兎が在籍した記録はありません。戦争中、刑務所に二年間服役していたらしいですが、何の罪かもよくわかっていません（彼自身の証言はころころ変わっています）。

さらに奇妙なことがあります。吉田雄兎は一九三七年、二十三歳の時、十九歳の朝鮮人男性を養子にしているのです。二人の間にどんな関係があったのかはわかりませんが、常識的に考えて、二十三歳の独身男性が十九歳の男性を養子にするというのは不自然な話です。その養子縁組した息子は翌年に戦死した、と吉田自身が語っていますが、歴史学者の秦郁彦（はたいくひこ）氏の調査では、その人物は一九八三年に亡くなっていることがわかっています。

吉田雄兎に関することで最も不可解なことは、彼が卒業したとされる門司市立商業学校の一九三一年（昭和六年）の卒業者名簿には、「吉田雄兎　死亡」と記されていることです。一九三一年といえば、吉田が生きていたとするなら十七歳です。卒業者名簿に生きている人間が死亡と書かれるなんてことは滅多にありません。名簿の記載が正しいとするなら一九三一年時点では吉田雄兎なる人物はこの世にいなかったことになります。

そして五十一年後、それまで歴史の中に消えていた人物、吉田雄兎が突如、姿を現すのです。「済州島で泣き叫ぶ朝鮮人女性を奴隷狩りのようにして慰安婦にした」という証言を引っさげて――。

いったい、これはどういうことなのでしょうか。

ミステリー

実は「吉田清治」なる人物は、死亡していた吉田雄兎氏に背乗りした人物ではないかと一部では囁かれていました。「背乗り」は「はいのり」と読みます。ある人物の身分や戸籍を乗っ取り、その人物にすり替わってしまうことをいいます。かつて旧ソ連のスパイや北朝鮮の情報員がよく使った手です。

吉田雄兎に背乗りした人物は朝鮮人だったのかもしれないと言われています。たしかにそう考えると、いろんなことで辻褄が合ってきます。

当時の朝鮮は日本に併合されていましたが、朝鮮半島は貧しく、多くの人が日本に密航を企てました。そして日本名を名乗って生活したのです。しかし当時、日本国内では朝鮮人は差別されていました。特に仕事や結婚では朝鮮人ということは大きなハンデでした。それだけに戸籍上で日本人になるのはいろんな意味で都合が良かったのです。

余談ですが、プロレスで有名な力道山も戦前、相撲部屋に入門する時、日本人の養子になり、日本人戸籍を取っています（戦後、空襲で戸籍が焼失して復籍する時、力道山は役場に届ける際に、「養子ではなく実子」と偽ったので、戸籍上は両親が日本人ということになっています）。

話を吉田清治に戻しましょう。二十三歳の時に養子縁組した四歳下の朝鮮人男性は、あるいは「吉田清治」に背乗りした男の実の弟だったのかもしれません。まず「吉田本人」が背乗りして日本人になり、その後、弟を養子にして、彼も日本人にする——そう考えると、二十三歳の男が四歳下の朝鮮人男性を養子にしたという話は大いに頷けます。

そして「吉田清治」がもともと朝鮮人であったとするならば、例の証言も理解できます。普通の感覚で考えると、「泣き叫ぶ朝鮮人女性を大量に慰安婦にした」という、まったくのデタラメであり、しかも日本民族に最大の恥辱を与えるような証言をするなど、日本人にはできません。ですが、「吉田清治」が元朝鮮人で日本人に背乗りした男だと考えると、不可解な部分が納得できるものになります。

二〇一六年の夏、ジャーナリストの大高未貴氏が月刊『新潮45』で、吉田清治の長男へのインタビュー記事を発表しました。長男が提供した資料によれば、吉田清治は大正二年（一九一三年）に福岡県鞍手郡宮田町大字長井鶴生まれとありますが、同窓会名簿の「死亡」の記載の謎や養子縁組の真相などが明らかにされたわけではありません。

吉田は全国の反日団体などから招かれ、「朝鮮人女性を強制的に慰安婦にした。申し訳なかった」と涙ながらに語り、そのたびに謝礼をもらっていたといいます。生粋の日本人でありながら、日本を貶めるためにありもしない捏造記事を書いたり、嘘ばかり述べるジャーナリストや文化人、あるいは元兵士たちはいくらでもいますから、吉田清治もそんな反日日本人の一人だったのかもしれません。あるいは「職業的詐話師」であり、ただ単に金のために嘘をついただけかもしれません。

その意味では、吉田以上に罪が深いのは朝日新聞です。吉田清治というとことんデタラメな男の嘘八百の証言を一六本もの記事で取り上げて大々的に世界に向けて報道し、彼の嘘がわかったあとも三十年以上まったく訂正記事を書かなかった朝日新聞こそ、最低の「日本の敵」です。

言い換えれば、吉田清治は朝日新聞によって、傀儡（あやつり人形）とされた存在だったのかもしれません。朝日新聞の記者たちの取材能力そのものは非常に高いものがあります。おそらく朝日新聞はすぐに吉田の嘘を見破ったでしょう。吉田の過去もすぐに調べたはずです。でも、朝日はそれらに目を瞑り、吉田の嘘を利用し、世界に向けて「日本人は他国の女性を性奴隷として狩った」と大宣伝をしたのです。

吉田清治の長男は大高氏に「父が犯した慰安婦強制連行の捏造について、吉田家の長男として、日本の皆様にたいへん申し訳なく思っております。できることなら、世の中の慰安婦像をクレーン車で撤去したい。（中略）私自身、なぜ父があんなことをしたのか知りたいのです」と語ったそうです。このような声に朝日新聞はどう答えるのでしょうか。

長男によれば、吉田清治が死んだのは二〇〇〇年七月ということです。晩年はかつての吉田清治を持ち上げた人たちからもどんどん信用されなくなり、寂しい生活を送ったようです。

ところで大高氏は同じ記事の中で、吉田清治と接触した神奈川県警の元公安刑事にもインタビューしていますが、吉田清治は彼に、「半島の人たちの〝ある組織〟がいつも二、三人、そばについていて、もう自由に行動できない」と語ったそうです。その刑事は〝ある組織〟とはＫＣＩＡ（韓国中央情報部）だと思っていたといいます。もちろん、この話自体が吉田清治の虚言である可能性もあります。はたして今後、「吉田清治」なる人物の正体が明らかになる証拠が出てくるのでしょうか。

いったい彼は何者だったのでしょう。

戦後四十年、突然の抗議

中国の靖國批判はいつ始まったか

もう一つ、多くの人が誤解している「首相の靖國参拝」問題についてもお話ししましょう。

首相の靖國神社参拝は世界の国が非難している、と誤解している人が少なくありません。非難しているのは中国と韓国だけです。**その中国にしても、戦後四十年間、一度も日本に抗議してこなかったのです。それまで首相が五九回参拝しているのにもかかわらずです。**

一九八五年八月、朝日新聞が中曽根康弘首相の靖國神社参拝に対して非難記事を大きく載せました。その直後、中国は日本政府に初めて抗議したのです。戦後四十年経って初めて日本政府に抗議したのです。

このおかしさを指摘すると、左翼系文化人の中にはこう言う人がいます。

「中国が抗議したのはA級戦犯を合祀したからだ」と。

これは嘘です。靖國神社がA級戦犯を合祀したのは一九七八年です。それから一九八五年七月まで四人の首相が二二回参拝していますが、中国は一度も抗議していません。

それを指摘すると、こう言う人がいます。

「A級戦犯合祀は秘密裏に行なわれていて、長らく知らされていなかった」と。

これも嘘です。A級戦犯合祀は翌年には報道されています。

すると、こう言う人もいます。

「天皇陛下でさえ、A級戦犯合祀して以来、参拝されていないではないか」と。

これもおそらくは嘘です。昭和天皇が終戦記念日の靖國参拝をされなくなったのは一九七六年からです。ですからA級戦犯合祀の年（一九七八年）と合いません。

実はその前年（一九七五年）、三木武夫首相の終戦記念日参拝について「私人としてのものか公人としてのものか」で左翼系マスコミが大騒ぎする事件がありました。陛下が終戦記念日に靖國参拝をされなくなったのは、その翌年からです。

これは推測の域を出ませんが、昭和天皇が翌年から終戦記念日に靖國参拝をされなくなったのは、自分が行けば「私人か公人か」ということが、世間で問題となると思われたからかもしれません。もっとも陛下のお気持ちを推し量ることはできないので、これはあくまで私の推察に過ぎません。

バチカンも認めた靖國神社

もう一つ靖國神社に関して、あまり知られていないことをお話ししましょう。

戦後、日本を占領したマッカーサーは靖國神社を焼却して、その跡地をドッグレース場にしようとしました（靖國だけでなく、明治神宮、伊勢神宮、熱田神宮も焼き払おうとしました）。ところが、マッカーサーからそれを相談された駐日ローマ法王庁バチカン公使であるブルーノ・ビッテル神父が大反対したのです。

彼の発言を以下に要約します。

「いかなる国家も、その国家のために死んだ人びとに対して、敬意をはらう権利と義務がある。それは戦勝国か敗戦国かを問わず、平等の真理でなければならない。もし靖國神社を焼き払ったとすれば、米軍の歴史にとって不名誉極まる汚点となって残ることであろう。歴史はそのような行為を理解しないにちがいない」

それを聞いたマッカーサーは、靖國神社はじめ多くの神社を焼き払うことを断念したのです。

バチカン（カトリックの総本山）でさえ認めた「国のために命をささげた人の魂

に尊崇の念をもってお参りする」という当然の権利を、他国に非難される理由はどこにもありません。

前にテレビを見ていたらこんな光景がありました。ましてそれが外交カードに使われるなどは、もってのほかです。当時、総務大臣だった新藤義孝さんが靖國神社を参拝したあと、記者会見に出た時のものです。朝日新聞の記者が手を挙げて次のような質問をしました。

「閣僚の靖國参拝に対して、海外の批判を招いていますが、これについてどう思われますか？」

新藤総務大臣は答える前に、その記者に逆に質問しました。

「まず海外からの批判というのは、どこからの批判なのでしょうか」

すると件（くだん）の記者は言いました。

「韓国と中国」

「他にありますか？」

「私の記憶にはありません」

「では、海外と言わずに、二ヶ国からの批判とおっしゃってください」

私はテレビの前で大笑いしましたが、朝日新聞の記者の卑劣さには、吐き気がしました。この時の記者の名前は武士の情けでここには書きません。

この章は少し変わったものになりました。ただ、私がここで書いたことは事実です。出所不明で真偽が怪しい情報ではありません。**こういう話をする時に、一番大切なことは「事実」です。**事実かどうかわからないままに書いたり、勝手な想像を付け加えたりすることは許されません。

堅苦しい話になりましたが、友人たちと話す時には、時にはこういう話題も必要ではないかと思っています。楽しい話や面白い話ばかりでは、深みがありません。たとえ意見がぶつかって衝突したとしても、お互い真摯に話せば、そこから得るものは少なくないと思います。

著者紹介

百田尚樹（ひゃくた　なおき）

1956年大阪生まれ。同志社大学中退。人気番組「探偵！ナイトスクープ」のメイン構成作家となる。2006年『永遠の０』（太田出版）で小説家デビュー。09年講談社で文庫化され、累計450万部を突破。13年映画化される。同年『海賊とよばれた男』（講談社　単行本12年、文庫14年）で本屋大賞受賞。

著書に『ボックス！』（太田出版08年、講談社文庫13年）、『風の中のマリア』（講談社　単行本09年、文庫11年）、『「黄金のバンタム」を破った男』（PHP文芸文庫12年）［『リング』（PHP研究所）を改題］、『大放言』（新潮新書15年）、『カエルの楽園』（新潮社　単行本16年、文庫20年）、『逃げる力』（PHP新書18年）、『日本国紀』（幻冬舎　単行本18年、文庫21年）、『クラシックを読む』（１～３、祥伝社新書21年）などがある。

本書は、2016年10月にＰＨＰ研究所より刊行された作品に、加筆修正を施して文庫化したものです。

PHP文庫　雑談力
相手の心をつかみ、楽しませるネタと技術

2022年11月15日　第1版第1刷

著　　者　百田尚樹
発 行 者　永田貴之
発 行 所　株式会社ＰＨＰ研究所
東京本部　〒135-8137 江東区豊洲5-6-52
ビジネス・教養出版部　☎03-3520-9617(編集)
普及部　☎03-3520-9630(販売)
京都本部　〒601-8411 京都市南区西九条北ノ内町11

PHP INTERFACE　https://www.php.co.jp/
組　　版　有限会社エヴリ・シンク
印 刷 所
製 本 所　図書印刷株式会社

©Naoki Hyakuta 2022 Printed in Japan
ISBN978-4-569-90263-0
※本書の無断複製(コピー・スキャン・デジタル化等)は著作権法で認められた場合を除き、禁じられています。また、本書を代行業者等に依頼してスキャンやデジタル化することは、いかなる場合でも認められておりません。
※落丁・乱丁本の場合は弊社制作管理部(☎03-3520-9626)へご連絡下さい。送料弊社負担にてお取り替えいたします。

PHP文庫

ゼロ戦と日本刀

強い日本を取り戻せ

百田尚樹／渡部昇一 共著

日本はあの戦争に勝つチャンスが何度もあった。日本人の記憶と魂に触れる『永遠の0』の世界。

PHP新書

逃げる力

百田尚樹　著

日本人は逃げる力が足りない！「一番大事なもの以外は捨てても大丈夫」と説くベストセラー作家のシンプル思考が、ややこしい人生を楽にする。

PHP文芸文庫

「黄金のバンタム」を破った男

百田尚樹　著

「黄金のバンタム」エデル・ジョフレを2度破り、日本ボクシングの黄金時代を築いたファイティング原田。その激闘の軌跡を描いた傑作。

PHP文庫

天皇の国史（上・下）

竹田恒泰 著

日本は天皇の知らす国である——。「これまでの研究活動と執筆活動の集大成となった」と、著者自らが語る日本の通史の力作を文庫化。

PHP文庫

学校では教えてくれない江戸・幕末史の授業

井沢元彦 著

幕府が開国しなかった理由、「生類憐みの令」の真の目的、朱子学が幕府を滅ぼした訳とは……教科書ではわからない「徳川300年の闇」を暴く！